習近平の本当の敵は中国人民だった!

激動する世界を大局で読む

渡邉哲也
Tetsuya Watanabe

ビジネス社

はじめに　台湾侵攻は習近平の墓石になる

2023年が始まり、早1ヵ月。やはり今年の注目もウクライナ問題と中国ということになる。ウクライナ情勢は一進一退であり、ロシアが敗北を認めない限り終わらない。NATO諸国はウクライナへの支援を拡大し、冷戦は西側VSロシアの構造になっている。その一方で米国は中国に対しての圧力を強化し、ロシアへの接近を阻止しようとしている。

本書で詳述している通り、対中半導体規制、ファーウェイへの輸出ライセンス停止に中国は反発しているが、中国にできることはない。これに関して中国に対抗手段はなく、米議会を説得できる材料がなければ段階的に規制は強化されるはずだ。また半導体のみならず、バイオやAIなど先端技術分野に規制は広がっていくのは必然である。

中国が「共産党が支配する中華人民共和国」である限り、人権、そして世界的覇権の問題で米中対立は深まることになる。これは価値観の衝突であり、文明の衝突でしかない。

中国は冷戦終結時に西側の価値観である自由や民主主義を取り入れ、最終的に自由主義の一員となるとして西側文明の一部となった。しかし香港問題の一国二制度の一方的破棄など、それを否定する行動をとっているわけだ。これは不可逆的な事実となっている。

この状況では世界が中国に対して融和的態度を示すことはできず、南シナ海問題、尖閣問題では軍事的リスクも高まっている。台湾問題も同じで台湾有事の際は、金融制裁を含むすべての処置がとられることになる。

そもそも台湾有事は仮想リスクである。しかし、それが現実味を帯びて語られることでリスク対応が進むことになる。習近平は台湾が中国の一部であるとしているが、日米英は中国の一部とは認めていない。50年前の日華断交の際、中国の認識を確認したにすぎず、それを尊重するとしているにすぎない。軍事的対立が起きれば、「尊重」は「否定」に変わるわけだ。そして、それは習近平の墓石となる。今のロシア、プーチンと同様の扱いになってしまうわけだ。

ロシアの政治家とオリガルヒ、中国と共産党幹部の構図は類似している。中国が他国と衝突した場合、共産党幹部の銀行口座は凍結される。また中国の外貨準備も凍結される。中国とロシアの違いは、中国が資源輸入国であることである。ロシアが戦争を継続できるのは、ガスや石油の決済代金が入ってくるからで、中国はその構造にはない。大豆に至っては自給率12％程度で、米国、ブラジルからの輸入が停止すれば、豚肉の供給がほぼ停止する。そして人民元は無価値化する。

ロシアは奇策ともいえるルーブルの裏付けに原油やガスをつけることに成功し、その価値を維持することに成功した。しかし、中国にはこれができない。また、ウクライナとの違いはウクライナが陸の一部であり、陸つながりにあることだ。台湾も日本もこの構造にはない。中国が台湾を侵略しようとする場合、海がそれを阻害する。日本に対しても同様で、海を渡り揚陸部隊を着岸させ、そして陸上作戦で反中国勢力を無力化しなくてはいけない。逆に言えば日本や台湾は海上でせん滅すればよいということになる。

合理的かつ冷静な判断ができれば、中国の台湾や日本への侵攻や軍事的圧力はマイナスにしかならない。しかし、独裁国家は時として非合理な判断をする。それがプーチンのウクライナ侵攻であったといえる。

ひるがえって日本は岸田総理の欧米歴訪により、120年ぶりの日英同盟が結ばれ、豪州とも同様の協定があり、クアッドの完成に向けて動き始めた。インドとの合同軍事訓練も開始されている。日米半導体協議もまとまり、半導体のみならずAIやバイオ、宇宙分野などでの日米協力が確認された。いろいろ問題はあるものの、安倍総理の残した宿題をひとつずつ片付けている形である。

しかも一帯一路などによる中国の浸透工作は、債務国の破綻により大きな影響を受け始めている。Ｇ20の共通枠組み合意により、中国に対して債務放棄が求められているのだ。これまでのような「債務のワナ」が封じ込められつつある。

新たな枠組みをめぐり、世界的なパワーゲームが繰り広げられているのが現在といえるだろう。今年日本はＧ７議長国を務めるのだから本来、最もリーダーシップを発揮しなくてはいけない局面だ。

また本稿を執筆中の２月４日に中国の「スパイ気球」が米国で見つかり、米軍が撃墜した。非常に高高度での撃墜であり、米国としては、その能力を国際社会に示すことができた。中国側は「民間の気象観測の飛行船」と言い訳しているが、それを信じるものなどいない。これほどの高高度で飛ぶ必要もなく、性能的にもコスト的にも合わないからだ。

米国としては、「未確認飛翔体」の領空侵犯を許し、米本土の上空を長時間にわたり飛行させたことになる。それも中国側の呼びかけなどにより、ブリンケン国務長官が訪中する直前の出来事であったわけだ。当然、共和党は激怒しており、民主党の対中強硬派も激怒している。下院を支配する共和党、対中強硬派が大多数を占める上院という構図での出来事である。議会はより厳しい対中姿勢をホワイトハウスに求めるのは間違いない。

今回の飛翔体は、気象観測用であり、兵器などを持っていないとされるが、それが放射性物質などを積んだダーティボム（汚い爆弾＝放射性物質散布装置）であった場合、米国が大きな危険にさらされたことになる。

必然的に米国は中国に対して、大きな代償を払わせることになる。

経済的には対中制裁の強化が一気に進むことが予想され、ＴｉｋＴｏｋへの制裁法案だけでなく、中国のＩＴ全般への規制や半導体規制のさらなる強化が予測される。

米議会は、財務省が所轄するＳＤＮリスト、商務省が所轄するエンティティリスト、国防省が所轄する中国人民軍企業リストなどの一本化を求めており、中国共産党員９６００万人のリストと組織図の公表を求めている。これが5年以内という予想よりも早く実施される可能性が高まった。

まず「中国人民軍支配企業」これをすべてＳＤＮとエンティティリストに掲載し、経済活動そのものを止める可能性が出てきたわけだ。現在のところ、ＡＩや半導体など一部の限定された企業だけがエンティティリストに掲載されている状態であり、ファーウェイですら金融制裁の対象となるＳＤＮリストには入っていない。しかし今後、ロシア同様に「テロ支援国家」の指定がなされる可能性がある。この場合、すべての輸出や再輸出に対して米国原産割合25％から10％に引き下げられる可能性がある。

そうなれば、日本からの輸出に関しても大きな制約がかかる。この場合、日本からの民生品などの汎用部品などの輸出も制限がかかる可能性が高い。米国は今回の気球の回収を進めており、気球に関連する企業やその部品などのメーカーに直接的な規制をかけることは必須といえる（その後の11日、中国人民軍の請負企業である北京南江空天科技など6社がエンティティリストによる禁輸処置の対象となった）。

誰が命じたかわからないが、中国の政治そのものの「バラバラ感」が強まっている。習近平の統治能力を問われる事態であるといえる。ブリンケンは習近平と会談する予定であったわけであり、それが公表された直後の出来事であったからである。

また本書の中でその優位性を語っておいたインドにおいて、新興財閥で流動性危機が発生しているとのニュースが伝わってきた。トップがモディと同じ地域の出身で政府とつながりが深いとされるインフラ企業アダニグループがそれだ。米空売り投資家ヒンデンブルグ・リサーチが不正会計疑惑のレポートを出したため、これに反応する形で株価が暴落、公募増資が中止された。株価が半減する中で世界各国の金融機関がアダニ債の受け入れを停止、マージンコール（追証）にどのように対処するかが問題になっている。新興企業によくあるパターンで、急激な事業規模拡大のために債務が増大する。うまくいっている状況ではこれは問題にならないが、何かが起きた場合、巨額な債務につぶされることになる。企業の倒産の原因は赤字ではなく、資金ショートであり、どれだけ資産を保有しようとも不渡りを出せば倒産してしまう。

世界的なコロナ対策による量的緩和によるカネ余りと中国に代わる投資先として、バブル状態にあるインド市場であるが、この問題をきっかけにバブルが崩壊する可能性も指摘されている。企業収益に対して株価が高すぎる傾向にあり、ドル建てなど外貨建て融資も多いため、米国など外国の金利上昇の影響を受けやすい環境にある。これはアダニグループだけに限定した話ではない。

今年世界一の人口を誇る国家になると予想されているインドであるが、その巨大さゆえに大きな問題になる可能性も高い。さまざまな宗教民族文化言語が入り乱れ、気候的にも砂漠地帯からモンスーン気候の豊かな水の大地まで抱える構造であり、州による違いも非常に大きい。インド政府は言語の統一などで国家の一本化と中央集権化を進めようとしてきたが、民主主義であるがゆえに中国のような強権的な政治はできない。それがインドと中国の違いであり、インドの発展が中国よりも遅れた原因である。

また貧富の差が大きく、人口13億人に対して極度の貧困率（1日1・9ドル以下の収入）が13・4％という構造になっている。世界的な資源インフレで貧困層の困窮がさらに厳しい状態になっており、同時にインドの発展＝資源の爆食という構図でもあるわけだ。インドも「中進国のワナ」に、はまり込む可能性が高いといえる。かつての東アジア通貨危機と同じ構図だ。

本書は中国を主眼に、それに対抗する世界（日本も含む）の動向を考察したうえで論述したものである。中国の内政を鑑みた結果、習近平主席の本当の敵が共産党高級幹部を含めた中国人民であることも解読している。それが本書のタイトルの所以《ゆえん》でもある。

読者のみなさんが中国を考えるうえで本書が何らかの参考になれば、これにすぐる喜びはない。

2023年2月5日

渡邉哲也

第1章 習近平政権の本当の敵は中国人民

第2章 半導体で過熱する米中対立

米国が次々に打ち出している対中制裁

第3章 底に落ちていく中国経済

第5章 中国と付き合う各国の事情

第6章 これからの日本の産業と経済

第1章

習近平政権の本当の敵は中国人民

ゼロコロナ政策の突然の逆転

ゼロコロナ政策に抗議して中国全土で起こった白紙革命

中国は厳しいロックダウンを繰り返しながら新型コロナウイルスと闘ってきた。そのゼロコロナ政策に対して国民の不満はどんどん溜《た》まっていった。

中国では国民全員がスマートフォンに健康コードのアプリを入れさせられ、これで「グリーン」と「レッド」の色によって感染リスクをスマホ画面に表示する。グリーンは「陰性で感染していない」、レッドは「陽性で感染している」ということだ。グリーンが表示されないと外出できないから、公共交通機関の利用やスーパーでの買い物もできない。

２０２２年11月24日夜に新疆《しんきょう》ウイグル自治区のウルムチにある高層マンションで火災が発生し、ゼロコロナ政策による封鎖で住民の逃げ場がなく救急車の到着も遅れるという事態が起きた。中国国営の新華社通信はこれで10人が死亡したと伝えたのだが、ＳＮＳでは実際は40人前後が死亡したという投稿が拡散した。病院などでの確認では最低でも43人の

北京でも白紙運動

死者が出たのだ。そのため当局の発表にも国民の不信がつのり、ゼロコロナ政策に対する抗議活動が全国の１００以上の大学に広がった。

これで上海において白い紙を持ったウルムチ出身の女の子による抗議デモも始まった。白い紙を持って立つという白紙革命は中国全土に広がり、反習近平デモへと転換する恐れも出てきたのである。

かつてのソ連時代に白い紙を配っていた男が公安当局に捕まる出来事があった。そのとき男から「なぜ白い紙を持っているだけで捕まえるんだ」と聞かれた公安当局者は「お前が言いたいことはわかっている」と答えた。

つまり、白い紙を配ることで民主化運動をしているのではないかと疑われたのである。そこから白紙には言論弾圧に対する抗議の意味合いが込められるようになった。それが白紙革命だ。

白紙革命は当初、ゼロコロナ政策への抗議のように見えたのだが、言論封じに対する不満も込められていたようだ。しだいに反習近平、反中国共産党、反言論弾圧を訴える抗議デモへとやはり変わっていった。そして白紙革命は習近平の母校である清華大学でも始まった。

上海で白紙革命を主導した女の子は現在、行方不明になっている。公安当局に捕まったのではないかなどとも噂されている。

中国には金盾《きんじゅん》という情報管理システム（グレート・ファイアウォール）がある。それによって中国国内の通信がすべて管理されている検閲システムだ。

だから反政府的な人々は、まず金盾をくぐり抜けて情報交換ができるようにしなければならない。そこで最初に使ったのがアップルのスマホアプリであるドロップボックスだった。各人が書いた文章をドロップボックスに入れると、みんなで共有できる。その点で当時、当局にとっては、アンドロイドよりもアップルのスマホのほうが監視しにくかったのだ。

通行人のスマホを検閲する中国警察

　だがドロップボックスの使用に気付いた中国当局は、アップルに対してそのサービスを停止するように命じた。そのため反政府的な人々もドロップボックスが使えなくなったのだが、代わりに用いたのがＶＰＮ（仮想私設網）とテレグラムというソフトを併用して金盾を逃れる通信方法だった。これならアンドロイドのスマホでも使える。

　ＶＰＮはバーチャルなトンネルのようなものをつくり出すことで中国当局の監視の目をすり抜ける。さらにロシア製の暗号化ソフトのテレグラムも加えると、暗号性が非常に高いツイッターのような仕組みが使えるようになる。

　こうして反政府的な人々ばかりか、多くの

国民もＶＰＮとテレグラムを併用して情報のやり取りをするようになった。結果としてゼロコロナ政策に反対するデモの規模も大きくなっていったのである。中国当局としてはこの動きには外国の工作機関が関わっていると見ていた。

中国ではＶＰＮそのものを使用禁止にしたので、ＶＰＮの使用が見つかったら厳罰に処せられる。中国当局はＶＰＮとテレグラムがインストールされているどうかをチェックするため、チェック用のアプリの搭載をスマホメーカーに義務付けるという手段も検討するようになった。

個人間の通信は、ウクライナでの大統領選挙結果に抗議するオレンジ革命でも使われた。アラブの春でもアラブ諸国の独裁政権を倒すのにフェイスブックが活用された。通信というものが非常に重要な意味を持つのが近代戦なのである。

抗議デモが始まって約1ヵ月で政策の大半を撤回

習近平政権は感染を完全に封じ込めるゼロコロナ政策に執着してきた。２０２２年10月に行われた第20回中国共産党大会の後もゼロコロナ政策を堅持したのだ。ところが11月下旬にゼロコロナ政策への抗議デモが広がると、コロナアプリも解消して大規模なＰＣＲ検査をなくし、省や都市をまたぐ移動の規制もゆるめた。

抗議デモが始まってから約1ヵ月でゼロコロナ政策の大半を撤回したことになる。白紙革命の影響も大きいものの、共青団（共産主義青年団）や地方組織などから強い要請があったためとも言われている。とすれば、習近平はまだ完全に共産党を掌握できていないとも考えられよう。

共青団や地方組織からの強い要請の背景には、国内経済が非常に落ち込んでいることもある。すなわち不動産バブルの崩壊、ＩＴ産業への規制強化、半導体関連産業への欧米による制裁、ゼロコロナ政策によるサービス業への致命的なダメージなどだ。それで国内のローン延滞者は3億人以上に及び、雇用の受け皿がない状況にも陥っていた。

12月に入ると白紙革命は収束した。それにはもちろんゼロコロナ政策の撤廃もあるが、撤廃を評価してというよりも撤廃によってコロナ感染が広がってきたためである。中国当局が各大学に対し、早い段階で冬休みを取るように命じたことで学生たちが帰省してしまったことも大きい。

改めて言うと、ゼロコロナ政策を撤廃した結果、コロナの大感染が起こり、12月に入って中国では2億5000万人（推定）ものコロナ感染者を出すに至った。

中国の感染者数と死亡者数

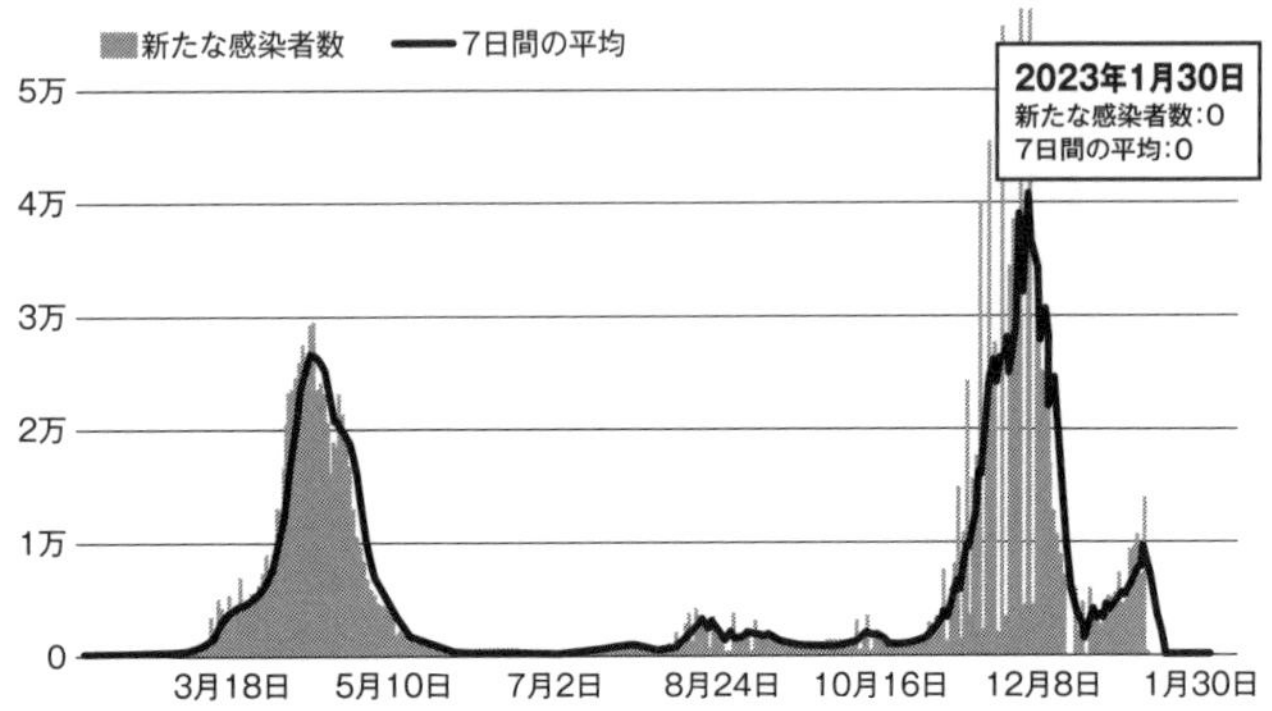

全期間の感染者数と死亡者数（2023年1月30日時点）

感染者の合計数　202万　　**合計死亡者数　84,190**

このオミクロン株ＢＦ７は非常に感染力が高いコロナウイルスである。確かに初期型のコロナに比べ弱毒化してはいるので、コロナの大感染は医療機関が整備されている先進国では医療崩壊には至らない。ところが医療機関が整備されておらず、これまでゼロコロナ政策を続けてきた中国では、コロナの大感染は絶望的な医療崩壊を引き起こす可能性が高くなった。

国民の８～９割が感染するのではないかと予測されており、最低でも２８０万人程度の死者も想定されている。実際、すでにコロナ感染で多くの死者が出て、霊柩車が火葬場に列をなし、遺体の埋葬も追い付かなくなっている。にもかかわらず中国政府は当初、例のごとくコロナによる死者の存在をほとんど認めなかった。

しかし中国の衛生当局は２０２３年1月14日に、２０２２年12月8日から23年1月12日にかけて、新型コロナウイルスに関連する医療機関での死者数は5万９９３８人だったと発表した。それまで発表していた死者数は１日数人に過ぎなかった。中国の感染データが不透明だというＷＨＯ（世界保健機関）や欧米諸国から批判を受けて発表に踏み切ったとされている。死因別ではコロナ起因の呼吸不全が５５０３人、基礎疾患とコロナの併発による死亡が5万４４３５人だった。

ウイルスは基本的に、コピーによって増殖する生命と物質の中間体のような存在である。通常のＤＮＡが２本の鎖でできているのに対し、コロナのＤＮＡは１本鎖だ。だから構造が不安定で変異しやすい。コピーでは必ずエラーが出てしまう。つまり、コピーを何万回、何十万回と繰り返していくうちにエラーがエラーを呼ぶという形で変異が進んでいく。

ウイルスの変異では一般的に、宿主を殺してしまうような強い毒性を持ったら感染が広がる可能性は低くなる。逆に宿主を殺さない弱い毒性を持ったウイルスだと広がる可能性が高い。現在のコロナウイルスはすでに6～7回の変異を起こした変異型だが、今もなお変異を繰り返している。

集団免疫が形成されない中でロックダウン解除で感染者が急増

3年近いゼロコロナ政策による封鎖の間にワクチン接種を進めていれば、コロナ感染による被害ももっと抑えられたはずだ。

ところが中国は自国のワクチンにこだわった。国民の自国ワクチンに対する信頼は低く、その効果も以前から疑問視されていた。効果が高いとされるメッセンジャーRNAのワクチンを持つ米国のモデルナおよびファイザーという医薬メーカーと一応は契約を結んでいた。だが、その積極的な使用には至らなかった。

上海復星医薬は、ドイツの医薬メーカーのビオンテックとファイザーが共同開発したワクチンのアジア販売権を獲得し、約3億5000万人分のワクチンを確保していた。このワクチンの接種も、中国政府が国内承認を出さないために進まなかった。モデルナとの交渉も進めてきたものの、モデルナが技術移転を拒絶したために契約が成立しなかった。

中国の2022年12月の感染者数は推定で2億5000万人だった。ゼロコロナ政策からの転換により、すでにコロナ感染をコントロールできない状態になっていたのに、この時点では中国政府は死者の数を公表していなかった。またゲノム解析を禁止したため、コロナが大きく変異している可能性も指摘されるようになった。

一方、北京大学の学者らはインターネットの検索データを活用して、中国で新型コロナウイルスの累計感染者数が1月11日時点で約9億人に達したという推計値をまとめた（まもなくこの推計値はネットから削除された）。

なお日本のメーカーであるヤマサの醤油《しょうゆ》がないとファイザー、モデルナのメッセンジャーRNAのワクチンをつくることができない。醤油もバイオである。ヤマサは江戸時代からの醤油屋で、東大の医学部創設を支援したところでもある。関東大震災のときに医学部の病院を寄進したくらい医療と関わりが深い。日本では目下、経済安全保障の面から、このような各種のオンリーワン技術をピックアップする取り組みが行われている。

さて結果的に2022年2月からの中国での厳しいロックダウンは、完全に無意味になってしまい、他国が経済回復をしていく中、中国だけが取り残される形になった。本来、コロナの規制を撤廃するのであれば、ワクチンや薬の備蓄など医療体制を十分に整えるべきだったのだ。それなのに無計画に規制を撤廃したため、このような事態を招いた。集団免疫が形成されない状態でのロックダウン解除になったのである。

ただしオミクロン以降の株について弱毒化が進んで致死率も低下しているため、強毒型に変異する可能性は限りなく低いとも言われていて、約3ヵ月程度で集団免疫を獲得するのではないかという想定も出ている。

3年前、武漢で発生したコロナは世界中を大混乱の渦に陥れた。その段階では中国はゼロコロナに成功し、国内では感染者を出さなかった。それが結果的には大きなダメージとなって自らにはね返ってきているのである。

渡航を禁止しないとウイルスが日本にも入ってくる

中国は突如ゼロコロナ政策を停止し、2023年1月8日には国を開くという選択もした。それも海外からの批判の的になった。他国がまだ3年前の悲劇を忘れていない中で中国は強引に再び国を開こうとしているのだ。それに対して世界各国が大いなる不満を持たないはずがない。しかも中国がゲノム情報などを開示しないため、中国でどのようなウイルスの変異が起きているのかもわからない。

例えばイタリアに来た中国発の飛行機の乗客では50%がコロナの感染者だったし、韓国の仁川国際空港に着いた中国発の飛行機の乗客は約30%が感染者だった。中国が出入国の管理を緩和すると、中国人の感染者が世界中に旅立って行くのである。これらの感染者を国内に入れていいのかどうか、各国は頭を悩ませている。国によっては中国からの飛行機の渡航拒否や陰性証明書の義務化などを始めた。

日本はワクチン接種（3回）または72時間以内のPCR陰性証明を入国の条件としている。中国を経由した旅行者については全員の抗原検査と陽性者のゲノム解析、7日間の隔離を義務化している。しかし中国が渡航を禁止しない限り、第三国を経由してウイルスが拡散されて日本に入ってくるのも間違いない。

現在のところ理論上では、変異をしても毒性の低いオミクロンの亜種であり、強毒型への変異の可能性は限りなく低い。だが、それでも感染者が多くなると他国の医療を逼《ひっ》迫《ぱく》させることになる。

この問題は中国の自己中心的独善的な政策によって引き起こされた。中国国内の医療環境が危機的な状況ならば、自ら国を閉じるべきだ。3年前の武漢で感染者が発生したときと同じ対応をしてしまうというのは、世界中の人々を敵にするのに等しい。

中国からの渡航者に対する規制を強化した主な国・地域

米州	米国、カナダ
欧州	イタリア、スペイン、フランス、ドイツ、英国、スウェーデン
中東アフリカ	ガーナ、モロッコ、カタール、イスラエル
アジア	日本、韓国、台湾、インド

※各地の当局発表や報道から

中国の水際対策緩和と日本の対応

		現在	1月8日以降
入国	**PCR検査**	出発前に１回、入国後に６回受ける	**出発前に１回受ける**
	強制隔離	計8日間 5日間（専用施設） ＋ 3日間（自宅）	**撤廃**
出国	**海外旅行**	厳しく制限	**順次再開**

日本政府の対応 12月30日から

中国本土からの渡航者や7日以内の渡航歴のある人	**入国時に検査**（**陽性者は待機施設で原則７日間隔離**）
今後の中国便の増便等	**制限**

３年前も国内の武漢で新型コロナの感染がわかっていながら隠蔽して、春節のときに感染者を国外に拡散させた。繰り返すが、その利己的な行為をいまだに世界は忘れていない。世界の大半の国々はそれを批判する形で中国からの入国管理を厳しくしていくだろう。だが、一方では新興国など中国のお金に目がくらんでいる国々も少なくない。そうした国々は中国を元気付ける原動力にもなっているのである。

中国共産党大会を経て3期目となる

反対派をほぼ排除して事実上の個人独裁が始まった

中国の人口については14億5000万人という説もあるが、最近になって上海の公安当局から出てきた人民リストでは11億人だった。だから実際には11億人程度しかいないのではないかとも言われている。

中国の国民のうち中国共産党の党員は9600万人である。中国で都市に住むことを許されている都市戸籍の住民は3億人。先進国であるOECD（経済開発協力機構）諸国レベルの生活ができているのがその3億人のうち1億5000万人で、しかも大半は共産党員が占めている。これらの人々は文化的な生活を送っているとされる。

その下にはウイグルやチベットなど人権を認められていない人々がいる。7～8億人くらいは都市戸籍を持たない、農村戸籍の本当に貧しく1日何百円程度の生活費で生きている中国人だ。中国では大金持ちと貧困層との所得格差が非常に広がっている。

中国では1979年から始まった一人っ子政策の後に生まれた人々は、すでに40歳を超えている。今や中国の家族は、1人の子供に2人の親がいて、さらにその2人の親に2人の親がいる。つまり1人の子供が6人を抱えるという雑技団構造になっている。6人（両親および祖父母）を乗せた自転車を1人（子供）で漕ぐという雑技団の芸をやっているようなものなのだ。

中国の政治制度については、日本人はほとんど知らない。中国という国は中国共産党の下にある。国より上に中国共産党が鎮座するピラミッド構造になっている。中央の集団指導体制のトップには、チャイナセブンと呼ばれる政治局常務委員が7人いる。チャイナセブンも含めた中央政治局のメンバーである政治局員は基本的には25人だ。政治局のメンバーは毎月1回集まって党と国の重要政策について議論する。意見が割れた際に多数決で選ぶために奇数となることが多い。

中国共産党は毛沢東後に中央の集団指導体制をつくった。強力な独裁体制を敷いた毛沢東が亡くなった直後は、カリスマがいなくなったことで大混乱に陥った。そのようになることを防ぐために、チャイナセブンの集団指導体制が構築されたのだ。過去には常務委員9人のチャイナナインだったこともあった。

集団指導体制における常務委員のまとめ役が党総書記であり、序列としては中国共産党のトップという位置付けになる。党総書記については従来の慣例では、1期5年の2期10年までしか務められないルールになっていた。

ところが習近平は従来の慣例を破って、3期目の党総書記となった。第20回中国共産党大会の後、新チャイナセブンは習近平、李強《りきょう》、趙楽際《ちょうらくさい》、王滬寧《おうこねい》、蔡奇《さいき》、丁薛祥《ていせつしょう》、李希《りき》だった。李克強、栗戦書《りつせんしょ》、汪洋《おうよう》、韓正《かんせい》が抜けて李強、蔡奇、丁薛祥、李希が新しく入り、趙楽際、王滬寧が留任したのである。李克強はこれまで首相でもあった。

予想では胡春華《こしゅんか》がチャイナセブンに入って次の首相になるのではないかと考えられていたものの、彼は政治局員にも残れずにただの中央委員となった。異例の降格であり、そのため政治局員も25人ではなく24人に減ったのだった。

チャイナセブンおよび政治局から反習近平派がほぼ排除され、常務委員を子飼いとイエスマンで固めたというのが今回の人事の明白な特徴だ。また今回の中国共産党大会では、「党の核心としての習近平の地位の確立」と「国家的指導理念としての習近平思想の確立」という「2つの確立」も決議された。独裁体制の構築によって事実上の個人独裁が始まったのである。

新しいチャイナセブン（新華社）

中国共産党の新指導部（敬称略）

党内序列	名前	年齢	前職	分業予測
1	習近平	69	国家主席	中央軍事委員会主席
2	李強	63	上海市委書記	国務院総理？
3	趙楽際	65	中央紀律検査委員会書記	全人代常務委員会委員長？
4	王滬寧	67	中央書記処常務書記	全国政治協商会議主席？
5	蔡奇	66	北京市委書記	党務、中央書記処常務書記
6	丁薛祥	60	中央委員会弁公庁主任	国務院常務副総理？
7	李希	66	広東省委書記	中央紀律検査委員会書記

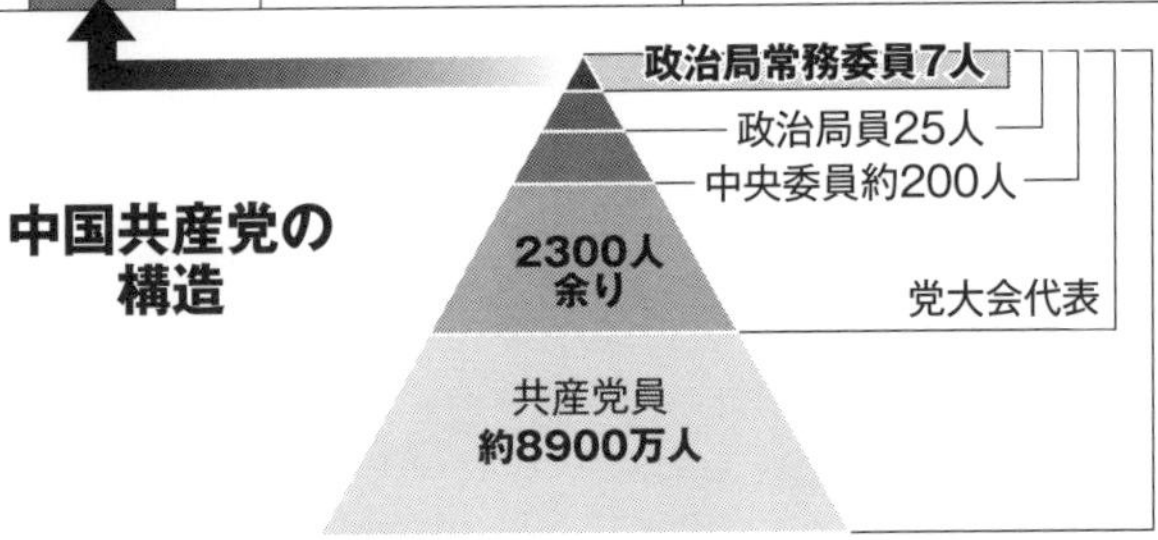

長老たちの力の衰えで開かれない可能性もある北戴河会議

中国共産党の派閥には大きく分けて2つある。ひとつが習近平総書記も含まれる太子党で、党のかつての高級幹部の二世や三世のグループだ。能力や実力とは関係のない親の七光りによって優遇されるとも言われてきた。もうひとつが共青団である。広い中国全土の各支部から優秀な人材が選抜されることになっており、北京大学や清華大学など一流大学の出身者も多いエリートのグループだ。団派とも呼ばれ、前総書記の胡錦濤《こきんとう》、前首相の李克強などが属している。どちらの派閥でも順調に出世していけば、最終的には共産党政治局や中国政府に入れるものの、途中で失脚したら返り咲くことはきわめて難しい。

ただし共産党内での対立を、太子党対共青団という単純な図式だけで考えるのは間違いだろう。習近平も太子党として能力や実力とは関係なく親の七光りで優遇されたというだけでは、権力闘争を勝ち抜いて中国のトップの座に就くことはできなかった。

それはともかく、太子党出身の習近平は今回、やはり太子党出身の子飼いやイエスマンだけでチャイナセブンを固めたのだ。一方、共青団の代表の李克強はチャイナセブンから追われた。同じく共青団である胡春華はチャイナセブンになれなかったどころか、政治局員からも外されてしまった。

2022年11月に亡くなった前々総書記の江沢民《こうたくみん》も自分の派閥を形成していたが、習近平政権になってから排除されていった。

今回の中国共産党大会の閉幕式ではあり得ないことも起きた。胡錦濤が外へ連れ出されるという光景が報道のビデオカメラに映し出されたのだ。すなわち映像では、胡錦濤が机に置かれた赤いペーパーを見ようとして手を伸ばしたところ、習近平の側近から身体をつかまれ、赤いペーパーを見ることができないようにして連れ出された。

赤いペーパーは新しい政治局員の名簿だったのではないか。そのため胡錦濤が政治局員の名簿に胡春華が載っていないことに異を唱えようとして排除されてしまったという憶測も浮上したのである。とすると、25人のはずの政治局員が今回24人に減ったことは突然の排除と深く関係していることになる。

ほかにも中国共産党内の粛清効果を狙って連れ出されるのをあえて見せ付けたとか、単なるハプニングだったという説もある。国営の中国新華社通信は、本人の体調が悪くなったため隣の部屋で休ませるために連れ出したと伝えたのだが、今のところ何が真相かはわからない。

いずれにせよ胡春華と李克強を政治局から追い出したことには、逆にその脆弱性《ぜいじゃく》が表れているとも見ることができる。

一方、江沢民も亡くなったし、胡錦濤も排除された。江沢民政権で首相として中国経済を押し上げた朱鎔基《しゅようき》も健康に不安がある。とすれば中国共産党の長老たちが力を失ってきたということだ。では、2023年には北戴河《ほくたいが》会議を開催できるのか。

毎年8月に河北省の避暑地の北戴河で中央指導部の人々と長老たちが共産党専用の避暑別荘に集まって行うのが北戴河会議である。非公式の会議ではあるものの、中国共産党の政権運営に大きな影響力を持つとされてきた。この会議での長老たちの意向は中国共産党の政権運営にも、それなりに反映されてきた。江沢民が中国共産党のトップを退いてから20年近くも実権を握ることができたのは、強い発言権を維持し続けてきたからでもある。

長老たちが力を失えば、北戴河会議を開催する必要もなくなる。しかも習近平は、長老たちの排除を進めるという反長老政治もうたっているのだ。

兄貴分で盟友だと言われてきた王岐山《おうきざん》も太子党のメンバーで、虎狩りと呼ばれる反汚職キャンペーンを当初から主導してきた。ところが習近平は、王岐山の腹心を汚職の容疑で起訴してしまった。判決ではたぶん（執行猶予付きの）死刑になるだろうと予想されている。

王岐山にも海南航空集団に絡む不正など、いろいろな疑惑がある。つまり彼の行った虎狩りは泥棒が泥棒を捕まえるようなものだったわけだ。スネに傷を持っていても、盟友だったからこそ不正には今まで目をつむってきたのだ。腹心が起訴された以上、王岐山自身も起訴されるかもしれない。

中国共産党の長老となるはずの王岐山の排除を一種の象徴とすることで、自分の政権に他の長老たちが口出しをできない体制をつくっていくつもりなのではないだろうか。

共青団の粛清を進めれば進めるほど反発も強くなっていく

太子党も習近平への忠誠心などない。太子党のメンバーも自らの権力を維持するためにつながっているだけである。

一方、共青団は中国のエリートであり、官僚組織そのものだ。キャリアグループなのでヒエラルキーもしっかりしている。共青団は日本なら霞ヶ関の省庁にあたる。日本の首相も霞ヶ関なしでは、国家全体のトータルコントロールができない。中国でも官僚組織が造反すれば、政治をコントロールすることは不可能になる。言い換えれば、人口11億人という巨大な国を地方政府を含めてコントロールしてきた中国共産党の中に共青団のような官僚組織が存在しているからこそ一党独裁体制を維持できる。

しかし政治局員から外された胡春華を推していた共青団は、独裁に大いなる不満を持っている。となると習近平は共青団の粛清《しゅくせい》も進めざるを得ないのだが、粛清を進めれば進めるほど相手の反発が強くなっていくのも確かだ。

そもそも今の中国では政策が右に振れたり左に振れたりして定まらない。それには官僚たちの意図的なサボタージュも大きな要因になっている。今回のゼロコロナ政策の転換でも官僚たちのサボタージュ、あるいは造反があったとささやかれている。

経済と金融を握っているのも共青団だ。習近平は経済音痴なので経済政策をめぐって共青団との間で不協和音が生じている。その計画経済の頭では、中国の経済と金融の政策をうまく立案・実行できない可能性が高い。

共青団は中国の経済と金融を握っているため、不動産バブルの問題にも深く関わっている。この共青団で経済と金融の政策を主導してきたのが李克強だ。国際金融にも明るいから、国際金融を知る中国の官僚たちとも強い結び付きがあった。

李克強に代わって首相になる李強では、国際金融を知る官僚たちとの対話ができないだろう。国際金融を知る官僚たちが動かなくなると、これまでのように巧みに人民元を操作することも難しくなるはずだ。

習近平は共青団の幹部クラスで60代の人々を全員追い出した。その恨みを買っているところはあって、個人的に崇拝してくれる官僚たちもいない。となると表向きには服従しているふりをして、実は敵であるという人間が中国共産党や中国政府内にゴロゴロしていると言える。その点から疑心暗鬼もどんどん深まっていくことになるかもしれない。

人民解放軍の掌握も欠かせない。独裁政権の維持に必要なのは軍部の支えだから、軍部を掌握しなければ自分が政権から追いやられてしまう。

中国の政治では、人民解放軍の指揮命令系統は中国共産党の組織とは別になっている。政治局には人民解放軍の幹部もいるが、それで人民解放軍が自分の思い通りに動くとは限らない。

中国経済が低迷して国民が貧しくなると、人民解放軍もその影響を受ける。実際、退役軍人たちは物価が上昇しているのに年金等が上がらなくなっていて、かなり不満を持っている。不動産バブルの崩壊によって、さらにその状況が厳しくなっていく恐れがあるので、そうした軍の不満は習近平にも向けられることになる。

それで人民解放軍の反発を恐れて、従来の7大軍区から5大戦区制へと人民解放軍の編成を変えた。人民解放軍の幹部にも自分の子飼いの人間を据えている。けれども人民解放軍の兵士たちはほとんど農村部から来た人々だ。組織の上だけを変えたところで、本当に人民解放軍をコントロールしきれるのかどうかはわからない。

独裁体制の貫徹は完全な管理社会と恐怖政治

２０２３年を迎えた中国では、コロナ政策の転換に次いでＩＴ規制の緩和、不動産融資の拡大など習近平の目玉政策の全否定が続いている。一方、ＩＴ企業などの実質国家指導化を進めており、政策の整合性がまったくない状態だ。その典型がゼロコロナの転換だ。

共青団など国際派の駆け引きも本格化しており、その指導力が低下したという見方も強まっている。そうなっているのは、経済と財政が著しく悪化し、世論も党内もともに抑えきれなくなったからとも考えられる。

中国の省と特別市すべてが赤字化し、厳しいロックダウンの影響もあって、雇用環境も急激に悪化している。資源インフレの中でＰＰＩ（生産者物価指数）は下落しており、国内需要が枯渇している状態を示している。

この状況が継続すれば、企業の倒産が急増する。ただし中国の場合、手形や小切手の不渡りを出しても銀行取引は継続できるので倒産しない。いわゆるゾンビ企業だらけになるだけだ。

中国の政治体制は、株式会社によく似てる。3期目は役員会で承認された状態であり、3月の全人代が株主総会だとすると、全人代は株主総会の承認の場である。

依然として共産党も軍部も抑えきれていないから、水面下での駆け引きが続くと思われる。その結果、不整合な政策が繰り返される可能性も高いだろう。

かつての毛沢東は個人崇拝によって共産党内や国民の反発を抑えてきた。だから習近平も自らを個人崇拝をさせようと、国定教科書を利用した教育改革で自らの神格化にも乗り出している。例えば2021年に、学校の教科書に「習おじさんの話」の副読本を強制的に生徒たちに配ったのだ。それは完全な個人崇拝を求める内容だ。

こうした強制的な神格化も国民の反発を呼んでいる。改革開放で自由を知った国民ならなおさら政治指導者の神格化など簡単には受け入れられない。

独裁体制を貫徹するためには、完全な管理社会と恐怖政治の手法しかない。しかし、それは経済発展という中国の原動力を奪うことになるし、西側社会との決別も意味している。経済の不振と西側社会との決別は、中国共産党内でも大きな反発を受ける。だからこそ毛沢東死後の混乱を受けて党の集団指導体制を構築したわけである。中国共産党の集団指導体制はやはりそれなりに合理性を持っていたのだ。

それでも独裁体制を維持するには、少なくとも共青団などの敵対派閥の徹底的な粛清と軍部の完全掌握が不可欠となるだろう。現時点ではそれができておらず、共青団の完全粛清は国家機能の不全を招くはずだ。そうした問題を解決するには軍事独裁政権化するほかはないのかもしれない。

最大の敵は食わせていかなければならない中国人民

中国における習近平の敵は何かと考えた際にいちばんの敵というのは結局、中国の人民11億人である。かつての天安門事件で見てもわかるように、人民すべてを敵に回すとどういうことになるか。国内は混乱し政権基盤も揺らぐことになる。それを恐れて白紙革命をきっかけにゼロコロナ政策を転換したとも想定できる。

何よりも重要なのは、11億人という膨大な人民の腹を満たすことだ。きわめて貧しかった中国も近年では豊かになってきた。その中国という国家国民は貧しくなることを許さない。よく私は「貧しい国が豊かになると戦争が起こる。豊かな国が貧しくなると内乱が起こる」と話している。これは貧しい国が豊かになっていく過程において食の高級化が発生し、資源の爆食が生じるからである。

豊かな国が貧しくなれば、多くの国民はそれを政治のせいにする。結果、政権交代が起きる。あるいはクーデターが起きる。そのような構造の中でこれまで右肩上がりだった中国経済は一気に低迷しようとしている。とすると、習近平にとっての最大の敵はやはり中国人民ということになる。

これまで中国は工業化によって豊かさを享受してきた。しかし、この工業化という流れもすでに限界に達している。これ以上、工業を拡大したとしても、それを消費する層は存在しない。

一方、中国はインドやベトナムなど自国より低賃金の国に追い上げられている。中国がそこで競争力を持つには、他国よりも安い賃金の労働者を確保する必要がある。

それも中国には不可能になってきている。中国は1979年から一人っ子政策を採用してきた。すでに述べたように中国の家族は雑技団構造になっている。これはもうすでに2世代進んでおり、農村部などでは産み分けによって男子が7割になっているという統計も出ている状況だ。

少子高齢化は中国政府が予想していた以上に早い段階で進んでいるのではないか。これ

中国、インドの年齢別人口（2021年）

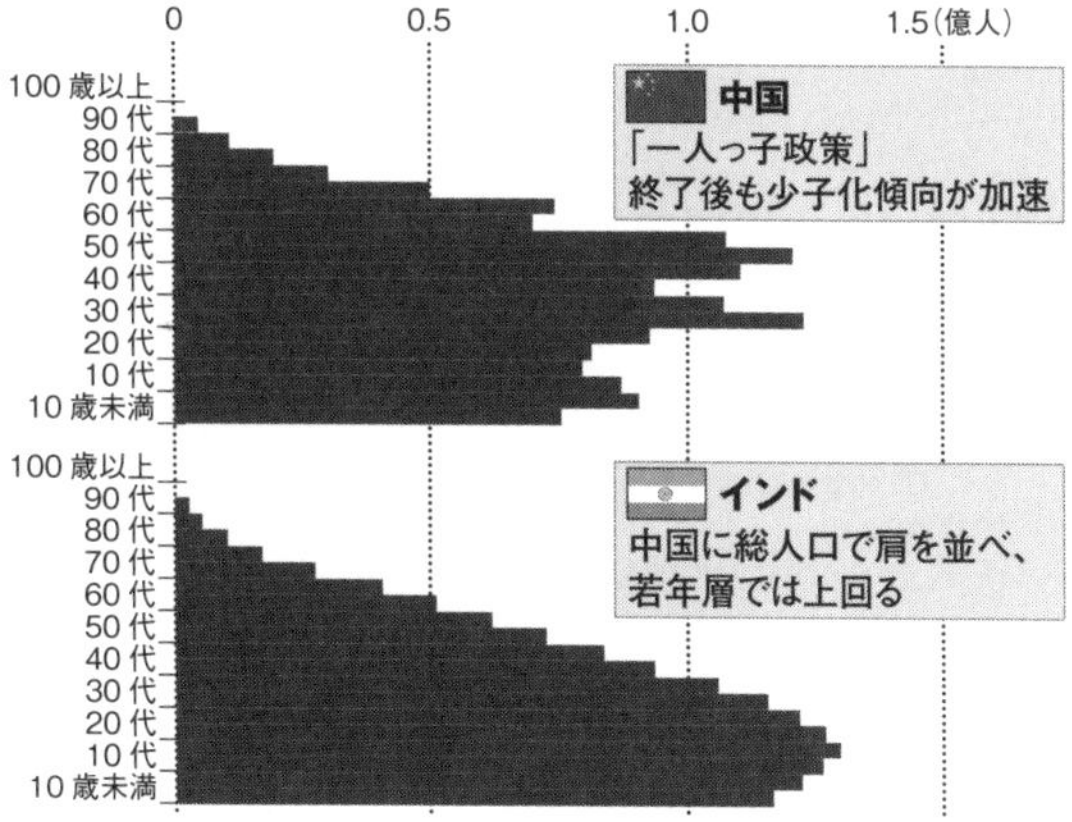

出所：国連の世界人口推計（2022年版）から

まで中国政府は、２０２８年に人口減少社会を迎えるという前提でさまざまな統計を出してきていた。だが実際には２０２０年には、すでに人口減少社会に突入しているという見方も強い。

また人口ボーナスから人口オーナス（子どもや高齢者にくらべて労働力人口が少ない状態。社会は成長力を失う）への転換は、２０１５年前後だったとも言われている。２０１５年は中国の株式バブル崩壊が起きた年だし、天津大爆発が起こった年でもあった。しかし当時の中国にはまだしも自由があった。あのとき外国の報道陣は、天津大爆発を報じることができたのだが、今の中国では外国の報道陣が同じことをするのは無理になっているのである。

eコマースが国有化して個人の消費情報なども国有化

中国では国民を管理する技術については、かなり進んできている。だから中国政府もまずは、この管理の技術によって不満を持つ国民を抑え込もうとするだろう。

そのひとつが、中国でついに復活してきている人民公社に現代の管理の技術を重ねるのである。

中国農村部には、供銷《きょうしょう》合作社という生活協同組合のような組織が残っていた。習近平政権は、それを共同富裕の一環として供銷合作社を都市部にも広げて一部に実験都市をつくると発表した。そこでは決まったお金を払うと食べ放題になったり、病院に無料でかかれたりする。これは完全に人民公社である。習近平は毛沢東を信じていたから、かつての人民公社をなくしたことは失敗だったとは思ってないのだろう。

eコマースの分野でもアリババ、テンセント、JDドットコムという3大eコマースは国有企業との合弁会社をつくらされた。これには銀行のデビットカードシステムであるアリババのアリペイ、テンセントのウィーチャットペイのほか、ユニオンペイ（銀聯カード）

監視カメラの世界市場シェア

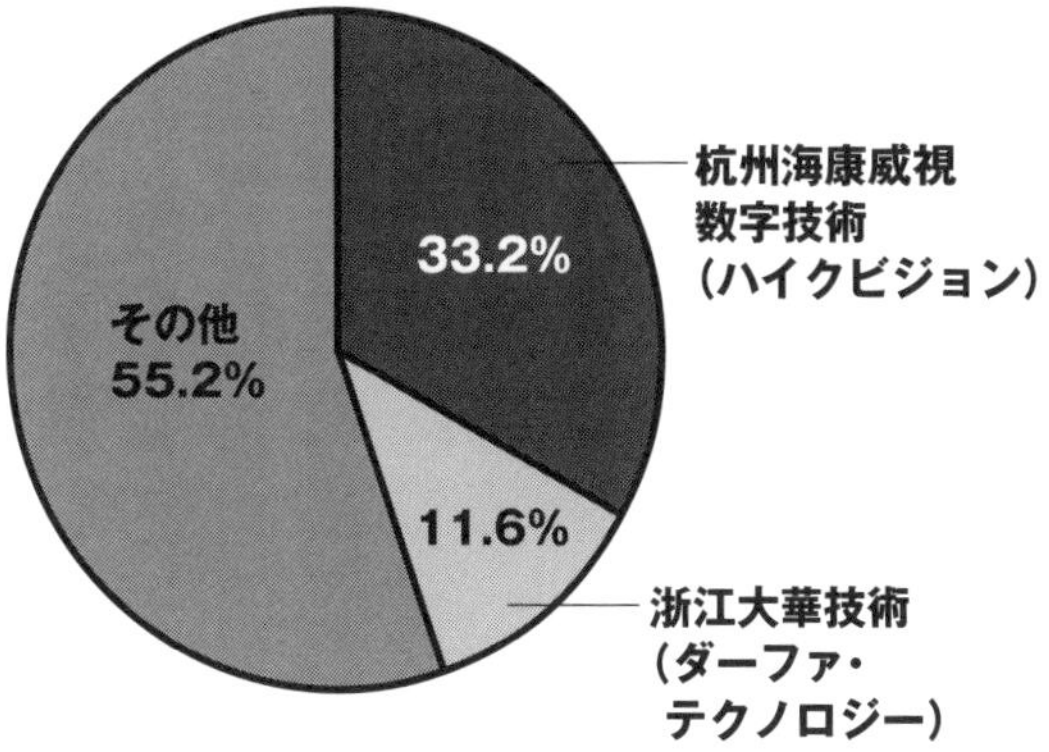

テクノ・システム・リサーチ調べ

も付いているから、ｅコマースが国有化されれば、個人の消費情報なども国有化されてしまうことになる。

さらに携帯電話の決済システムを決済のプラットホームとして、国が管理するという方向にも進んでいる。そこまで実現すれば、国は物流から消費、代金決済まですべてを管理下に置いてコントロールできるようになるのだ。

人権侵害という概念自体が中国にはない。当然のように、国民の言動も国の監視下に置く。すでに中国は天網という監視システムの下でハイクビジョンやダーファというメーカーのカメラによる監視カメラ網ができ上がっている。この監視カメラでは音まで録音することができるから、誰が何をしゃべったかも全部ＡＩ（人工知能）で分析されて文字化される。

発言した者の携帯電話には中国版ＧＰＳが付いているから、本人がどこにいるかを特定するのも簡単だ。だからスパイの疑いがある者もすぐに見つけられるし、例えば「習近平のバカヤロー」と言った者がいると、すぐに公安が飛んできて捕まえてしまう。そうしたことはすでにウイグルで実際に起こっている。

私が日本のある警備会社の社長から聞いた話だが、東京五輪を控えたある日、中国の某セキュリティ会社の社員が監視カメラのシステムを売りに来た。その社員の売り文句が「ウイグルでの実証実験で成功しているので、確実に監視できます」というものだった。その社長は「すごいセールストークなので、びっくりしたね」と言っていた。

中国では人権侵害の監視システムが許されている。日本でそのようなことを認めてはならないが、日本ではまだ監視による人権侵害を罰する法律もつくれない状況にある。米国では監視システムの売り込みは一切禁止されている。

中国では11億人もの国民を国がカメラで監視しているのだから、世界一の監視大国なのである。

個人の信用スコアに応じて決まる配給システム

中国には信用スコアリングシステムというものがある。それで年収や職業だけでなく政治志向やSNSでの発言などもスコアリングされる。信用スコアが低い人はお金を借りられなくなったりするのだが、借金だけなら日本での銀行ローンや消費者ローンでの信用判定と変わらない。

破産するにはお金を借りなければならないが、不動産を買って住宅ローンを抱えている人々がコロナで給料が入らなくなってしまった。中国のバブル崩壊とともにロックダウンによる影響がモロに出始めたのである。

不動産バブルによって中国の北京や上海の不動産は年収の45倍、深圳《しんせん》に至っては年収の60倍まで高騰してしまった。中国全土では3億人が自己破産状態にあるとも報じられている。

自己破産して住宅ローンが払えなくなると信用スコアに不可が付く。それでクレジットカードも携帯電話も持てなくなる。これは別に驚くことではない。

しかし中国で問題なのは、信用スコアリングがeコマースでの消費・物流・決済、本人の発言内容などと結び付いている点だ。今や信用スコアによって特に都市住民についてはほぼ管理されている状態にある。

前述したように不穏な発言をすると、公安が飛んでくることもあるのだが、管理が進むと経済活動の統制まで至ってもおかしくないだろう。

中国ではロックダウンでつぶれるスーパーやコンビニなどもずい分出てきている。とすればスーパーやコンビニまで国有化されることになるかもしれない。スーパーやコンビニが国有化されると、クーポンシステムによって物資が配給される事態になることも十分に考えられる。

つまり、個人の携帯電話に例えば朝御飯券、昼御飯券、夕御飯券というのが送られてくるということだ。国からの配給によって御飯を食べるのである。消費・物流・決済を国が握っているのであれば、そういうことは簡単にできる。

しかも中国だと各個人に対して、その発言内容に基づいた配給もできる。つまりクーポンの種類や有無によって、「この人は信用状態がよいから、今日のお昼御飯のおかずには肉を付ける」とか、逆に「この人は信用状況が悪いから肉はなし」とか、「『習近平のバカヤロー』と言ったから、この人には夕食は抜き」ということにもなりかねない。まさに現代版のディストピアである。

あるいは配給を通じて強制労働に近いことをさせたり、あるいは中国の食料供給を増やすために地方に送り込んで農作業をさせるなど、かつての下放《かほう》を復活させるようなことも起こり得る。

都市戸籍の者でも信用不良者に分類されたら、もう都会には住めなくなるだろう。住めたとしても、奴隷労働に近い形で召使いのような生活を強要される可能性もある。

共同富裕を言い訳にして、一時的に成功した都会の人間を地方に下放するなりして、下層階級の不満を解消する政策も実施するのではないか。

第2章

半導体で過熱する米中対立

米国が次々に打ち出している対中制裁

米国人は中国で半導体の製造などに関われなくなった

米国では2022年8月にチップス法が成立した。半導体業界における米国の強さを取り戻すために半導体の国内生産を推進する法律で、半導体メーカーに今後5年間に500億ドル（約6兆6900億円）が提供される。

その内訳は約3分の2にあたる280億ドルが最先端のロジック半導体やメモリ半導体を製造するメーカーへの支援、100億ドルが既存の半導体の新たな製造能力の向上、炭化ケイ素・カーボンナノチューブ材料関連の投資に用いられる。残りの110億ドルは製造工場の建設などに割り当てられる予定だ。

ただし国から補助金をもらったメーカーには中国で開発を行ってはいけない、中国に新規投資はしてはいけないといった条件が付いている。

さらに10月7日には中国向けの半導体規制もできて、最先端のみならず現行の一般的な半導体の多くも輸出できなくなった。

　これは先端世代だけではなく現行の主力世代の開発環境からも米国技術の輸出が禁止されたということだ。そのため主力世代の半導体の設計すら許されない状態である。半導体企業がそれに手を出せば、輸出管理の対象に指定され、モノや技術が手に入らなくなる。つまり、2014年以前の古い世代から抜け出せないのである。

　半導体を製造する装置も中国に対して輸出できなくなった。他のメーカーから注文を受けて半導体チップCPUをつくるメーカーをファウンドリと呼ぶ。例えばSMIC（中芯国際集成電路製造有限公司）というファウンドリは、10～14ナノメートル（nm）という世代の半導体を先端半導体としてつくっていた（1ナノメートルは10億分の1メートル）。韓国のサムスン、台湾のTSMC（台湾積体電路製造）という半導体メーカーは3ナノ、5ナノなどのさらに細かいものをつくっている。SMICはサムスンやTSMCのような最先端の製造プロセスを入れたいと望んでいたが、最先端の製造装置も止められてしまった。

　のみならず、米国人は中国で半導体の製造や研究開発に関わってはいけないということで、米国人の技術者が中国系企業から一気に離れて帰国することになった。中国で半導体先端分野に関わる米国人は米国の国籍を捨てるのか、つまり中国人になってしまうのか、それとも米国に帰るのかの二者択一を迫られるのである。同じことが日本人にも適用されるとなると、日本企業から中国に研究開発等で派遣されている社員も引き上げなければならないことになる。

米国で自動運転関連のソフトウエアをつくっている会社の例だ。ここは中国人と米国人が共同経営者だった。自動運転の技術自体は米国で開発されたのだが、この中国人の経営者が中国にその情報を渡していたことから、中国人の経営者はクビになったのである。

しかもそれで終わらず、中国人の経営者は場合によって米国国内で起訴される、または国籍が中国だったので強制送還等が行われることもあり得る。こういう状況では、米国に永住権を持っている中国人は米国で起訴されるか、米国の国籍から離脱するかという判断の板ばさみになる。

しかも米国の国籍を離脱する場合は、その人が持っている資産を全部売却したものと見なされるため、それに対する税金を払わないと国籍離脱ができない。

中国の完全な封じ込めを指示しているUSCCレポート

米国の連邦議会は中国に対して非常に強硬だ。中国には共和党のほうが強硬だとされるが、民主党の中にも強硬派はたくさんいる。

米国の元政府高官らでつくる米議会の超党派諮問委員会は２０２２年11月15日、中国の軍事力や経済に関する報告書（２０２２年版）、すなわちＵＳＣＣレポート２０２２を公表した。そのレポートでは中国が台湾に侵攻する場合に備えて、中国への経済制裁案を策定する省庁横断の組織の創設を求め、米軍と台湾軍の相互運用性の向上も訴えている。

ＵＳＣＣレポートは毎年出されるものだ。ＵＳＣＣ（米中経済安全保障調査委員会）が米中関係の主要テーマについて専門家にヒアリングしてまとめている。安全保障関係者の関心が非常に高く、米国政府や議会へも強い影響力を持っている。

また、ＵＳＣＣレポートは「〇〇をしなくてはいけない」というＴｏＤｏリストになっているのが大きな特徴だ。だからＵＳＣＣレポートをベースにして、翌年の国防権限法やさまざまな軍事関連の法律などが通っていくし、ホワイトハウスも大統領令などを出して国防権限法の内容を実行していくことになる。トランプ政権時代には中国に対して非常に強硬的な姿勢で対応したことが話題になった。実際にはＵＳＣＣレポートを忠実に守った結果に過ぎないのである。

ＵＳＣＣレポート２０２２も中国に非常に強硬な内容となっていて、半導体、通信技術、スーパーコンピューター、AIロジック回路などの分野で中国を徹底的につぶすという米国の思惑が見えてくる。

USCCレポート2022では、完全に中国を米国国内から排除することのために大統領権限で中国で活動している米国企業に撤退命令を訴えている。また中国が軍事的に暴走した際に、どうやって中国の戦略物資を止めていくか、中国に暴走させないために半導体をはじめとした中国の軍事開発をどうやって止めていくのかも記載されている。しかも、そうしたことを同盟国など世界各国の米国と関係の深い国に広げていくことも求めている。

同レポートに記載されている強烈な一例が以下である。

「議会は国防総省に対し、中国が関与する軍事衝突が発生した場合に、中国向けのエネルギー輸送を効果的に封鎖することの実現可能性と軍事的要件に関する機密報告書を作成するよう指示する」

「マラッカ海峡と、同海峡を通過しようとする中国向け船舶の封鎖を運用することの実現可能性に特に注意を払うべきである」

つまりマラッカ海峡封鎖のシミュレーションを行い、その特別軍事計画をつくれということだ。

中国の石油備蓄は公称では50～60日だが、実態は30日前後しかないし、戦時にはその半分の15日しかもたないのではないかと言われている。ロシアは石油が出るので自前の石油で長期戦を戦えるのに対し、中国は長期戦を戦えない。これが戦時のロシアと中国の最大の違いだ。

中国はサウジアラビアやカタール、UAE（アラブ首長国連邦）と原油や天然ガスの購入契約を結んでいる。けれども米国にマラッカ海峡を封鎖されたら、タンカーが動けなくなり中国には中東からの原油やLNG（液化天然ガス）が入らなくなる。ロシアから原油やLNGを買うとしてもトルコがボスポラス海峡を封鎖すると、ロシアの船は黒海に出られない。

そのほかにはロシアから原油やLNGを買うとすれば、ナホトカの不凍港から日本海を通って中国に持ち込む方法がある。これに関しては今度は自衛隊と米軍が日本海を封鎖することになる。とすれば、マラッカ海峡封鎖のシミュレーションをしろというのは日本海封鎖のシミュレーションもせよということだ。今のうちにロシアから中国にタンカーが行かないような仕組みをつくっておくべきだろう。

マラッカ海峡、ボスポラス海峡、日本海の封鎖によって原油やLNGが手に入らなくなるとすれば、台湾を攻める場合、中国人民解放軍としては電撃的に3～4日で台湾を敗北させる以外に勝ちはなくなる。そもそも人民解放軍に電撃作戦など、できるわけがないだろう（笑）。

また中国は、2007年に開発されたLOGINKと呼ばれる物流情報システムを軸にデジタルネットワークを拡張している。LOGINKは世界の荷主を結ぶデジタルネットワークでもある。中国はLOGINKで世界中の港の物流データを牛耳《ぎゅうじ》ろうとしているのだ。世界中の港の物流データを握ってしまえば、コンテナを止めて敵の兵站《へいたん》を崩してしまうことができる。

だからUSCCレポート2022には「議会は、インド太平洋経済枠組み（IPEF）の一環として、中国の国家運輸・物流公共情報プラットホーム（LOGINK）または中国の国家関連団体がIPEF加盟港内で提供する類似システムの利用禁止を交渉するよう行政府に指示する」と記載されている。

2年以内にLOGINKから切り離した仕組みをつくらないと、米国の物流とつながれなくなるのだ。なおUSCCレポート2022は前著である『経済封鎖される中国アジアの盟主になる日本』（徳間書店）に全文を掲載した。興味のある方はご確認されたい。

高速通信技術と高速演算が勝負を決めるウクライナ戦争

なぜ米国が中国に対して非常に激しい半導体規制などを行っているかと言えば、やはりウクライナ戦争の影響が大きいと思う。

半導体を押さえないと、軍的な問題も含めて優位に立つことは非常に難しい。例えば５Ｇ（第５世代移動通信システム）と４Ｇ（第４世代移動通信システム）で同じように衛星やドローンをコントロールしたときには速度の違いがある。通信速度が違うのだから位置情報など、すべての速度が変わってくる。ＡＩの演算システムをつくらせないようにしているのも、そこに理由がある。米国側が１秒速く目標を察知していれば攻撃は確実にあたる。ウクライナ戦争でロシアの旗艦モスクワが撃沈されたのもそうだ。

従来は戦争で使われていなかったドローンがモスクワの指揮命令系統を握っているコントロールセンターの船を撃沈したため、モスクワも撃沈されたのだ。結果としてロシアは北海艦隊のコントロールを失い、周辺の制海権と制空権も失ってしまった。以後もその状況が続いている。

ウクライナに軍事侵攻した当初は、ロシアはすぐにウクライナを敗北させられるという予想もあった。だがウクライナは依然として軍事でロシアに負けていない。それはやはりロシア軍が当初の電撃戦に失敗したからである。プーチンとしては72時間以内にウクライナの首都キエフ（キーウ）を占領する予定だったのだが、初動で入った空港の制圧に失敗して電撃戦が頓挫《とんざ》してしまった。

　また早い段階で米国の実業家のイーロン・マスクが、スターリングという衛星システムをウクライナに貸し出したことも大きい。それによって、ロシア軍が用意しようとしていたデジタル通信網の仕組みを破壊していくことができた。一方、ロシア軍はデジタル通信ができる環境を構築できず、兵士個人の携帯電話で通話をせざるを得ないような状況にもなった。だからウクライナ軍は、携帯電話の電波でロシア軍兵士の位置をつかんで攻撃できるようになっただけでなく、盗聴によってロシアの司令官の居場所も知って次々に戦死に追い込んでいった。

　ウクライナ軍は衛星を通じてドローンの自動運行も確保した。現代戦においては、やはり自動運転と通信を中心とする半導体と衛星情報が非常に大きな力を発揮することが今回のウクライナ戦争で明らかになったのだ。

　それにウクライナで使うドローンは、別にウクライナにいなければ操縦できないわけではない。米国が中東で飛ばしているドローンなどは、米国のテキサスあたりのトランクルームから操縦している。

戦争でドローンやＡＩを搭載した自動攻撃など衛星を用いた高速通信技術と高速演算が勝負を決めることが明らかになった以上、米国は中国がそれらの技術を確保し優位に立つことを阻止する意志を一段と強く固めた。

ファーウェイに始まる５Ｇ規制、スパコン規制、ＡＩ規制はその文脈に沿ったものだ。ファウンドリであるＳＭＩＣは米国や西側企業に代わって先端の半導体を生産しようとしていたから、その製造装置の規制を強化したのだった。

中国を狙い撃ちするエンティティリストと国防権限法

米国は２０２２年12月15日に中国に対する輸出規制を一気に強化した。エンティティリスト（輸出禁止リスト）に中国企業36社を加えたのである。

36社にはフラッシュメモリー（記憶媒体）のＹＭＴＣ（長江メモリー）、ＡＩ半導体開発のカンブリコン（中科寒武紀科技）、半導体露光装置製造のＳＭＥＥ（上海微電子装備集団）、国有企業であるＣＥＴＣ（中国電子科技集団）の名前もある。今回の規制は米国議会の要請によるところが大きい。カンブリコンやＣＥＴＣなどは、ファーウェイに半導体を横流ししているとして議会が強く規制を求めていたのだ。

ＹＭＴＣは最先端のフラッシュメモリーをつくっているメーカーだ。エンティティリストに入ったことでＹＭＴＣは米国が関与する製造機械、部品、さまざまな物を手に入れられなくなった。

カンブリコンはそのＡＩチップがほとんどの中国のＥＶ自動運転車に組み込まれている。当然、無人兵器などにも使用されるから、カンブリコンのＡＩチップを阻止することは軍事面では特に重要だ。

半導体露光装置製造のＳＭＥＥが規制対象になった意義も大きい。基本的に半導体製造は写真技術とエッチングの組み合わせであり、シリコンウエハーに感光材を載せて光を当てることでその部分を固定する。そのうえでフッ化水素等でエッチングを行うと、光があたった部分が回線として残る。

露光装置がなければ半導体は製造できない。露光装置の基礎技術の多くは日本など西側先進国が保有しているので、中国としても露光装置用の精密な部品の多くを西側先進国からの輸入に依存しなければならない。となると、その部品の規制を受けるＳＭＥＥは先端の半導体露光装置をつくれなくなる。自前化するという選択肢はあるものの、それには多くの時間とコストがかかるに違いない。

また半導体露光装置など半導体のための各種の製造装置を止めるのは、半導体製造の川上を止めることでもある。米国はこの川上戦術を今後徹底していくはずだ。

エンティティリストに載った企業に対しては、米国企業は製品を何ひとつ出してはいけないことになっている。日本企業であっても米国の技術を少しでも使っているなら、やはりエンティティリストに載った企業に物を売ってはいけない。YMTCの場合、日本のYMTCジャパンもエンティティリストに入ったのだった。

さらに半導体関連の機械の細かい部品をつくるには、精密なネジも不可欠だ。精密ネジのほとんどは日本製だ。だから日本が中国にそのネジの輸出をしなくなると、ほとんどの中国の工場のラインも止まることになる。

かつて中国のJHICC（福建晋華）というメモリーメーカーが、台湾の大手半導体メーカーのUMC（聯華電子）から技術移転を受けた。しかし米国の大手半導体メーカーであるマイクロンの技術を盗んだものだという理由で米国はJHICCをエンティティリストに入れてしまったのである。その結果、JHICCは完成した巨大な工場に導入するはずの半導体製造装置の大半を輸入することができなくなってしまった。工場のラインは、ほぼ完成したのにラインを動かせずに大損したのである。

だからこそ今回も、米国は中国の有力な半導体企業やAIメーカーをエンティティリストに入れて、半導体関連の製品を生産できないようにしているのである。

米国は国防権限法2023を2022年12月23日に成立させた。米国の軍事計画と方針を示す法律で、今後の軍事政策の根幹をなすものだ。今回の特徴は、台湾有事への現実的な備えと台湾に対する明確な支援を表明したことである。

当然、中国は反対していて、12月25日に中国人民解放軍が台湾周辺の海空域で火力を用いて複数の軍種による軍事演習を実施した。中国側は、これを米国と台湾による挑発への対応だと発表している。しかし中国にはそのような威嚇《いかく》以外には何もできることはない。

法律の具体的な面では、台湾の防衛能力を向上させるために今後5年間で最大100億ドル（約1兆2800億円）の支援とインド太平洋地域における米軍の態勢強化のための基金115億ドルを確保した。2024年に実施する米軍主催のリムパック（環太平洋合同演習）に台湾を招くようにも求めている。これによってUSCCレポート2022の内容もより迅速・確実に反映されやすくなるはずだ。

国防権限法では、米国政府に製品を納品している企業は中国製の半導体を組み込んだ商品を利用してはならないとされた。これには5年間の猶予はあるものの、サプライチェーンや製品開発からも中国半導体を排除しなくてはいけない。5年後には米国、日本、韓国、台湾の半導体の増産体制も完成しているものと思われ、中国なしでの製品開発も可能になっているだろう。

中国に対する規制には米国よりも日本が対応しやすい

戦争のあり方が変わったことをはっきりと認識した米国は、中国には5G、6G（第6世代移動通信システム）の機器をつくらせない意志を明確にした。そこで半導体でも米国が出した答えは「中国に半導体をつくらせなければよい」という単純なものだ。半導体規制やエンティティリストを通じて、最新鋭の半導体の製造装置だけでなく現行の主力世代の製造装置や半導体の開発環境を取り上げることにし、米国の技術者を半導体メーカーから引き上げさせることにした。

これまで半導体を生産してきた日本、米国、韓国、台湾の4ヵ国はチップ4と呼ばれる半導体同盟でその規制について足並みを揃えることになった。チップ4が手を組めば、中国なしでの製品開発が可能になるのはもちろん、中国での半導体生産がなくても必要な量を確保できるのだ。

またTSMCがつくっている最先端の半導体は、これまでアップルのアイフォーン生産のために中国にある工場にも供給されていた。しかしTSMCの工場が米国と日本に完成した時点で、そうした半導体についても中国は関係がなくなる。

今やアップルは、アイフォーンの生産を中国からインドへと移しつつある。インドでの生産は2022年には25%まで増えたし、今後40%まで増えていくはずだ。アップルとしても前倒しでアイフォーンの生産の移転を進めている。

そうやってどんどん中国外しが進んでいくと、中国は周りの国々に対する半導体分野での影響力も発揮できなくなっていく。半導体分野に限らず先端分野では目下、外国企業は中国から離れていっている最中だ。となると、中国は昔のように先端ではない製品しかつくれない国に逆戻りしていくだろう。

米国による中国への規制については現在、商務省のエンティティリスト、財務省が持つSDNリスト（金融制裁リスト）、国防省の人民解放軍支配企業リストなどがある。これらはそれぞれ別の規制リストであるため、USCCレポートや議会ではリストがバラバラだと整合性がなくなるから、ひとつのリストに統一すべきだと主張している。

米国はリストを統一するだけではなく、同盟国や協調できる国とそのリストを共有したい。日米の間では、すでにリストが統一されたら共有するという合意ができている。日本としては従来通りリストがバラバラでも新法をつくらないで、エンティティリストなら経済産業省の省令による輸出管理で対応できる。さらにSDNリストの金融制裁もロシアに対して行ったように閣議決定でできてしまう。統一されたとしても省令や閣議決定で済むはずである。

そのような点からは、米国よりも日本のほうがむしろ中国へのさまざまな規制には対応しやすいと思う。

TikTokにも再び禁止の動きが大加速

トランプ政権が安全保障上の観点から問題視し、2020年8月に動画投稿アプリのTikTokとSNSアプリのウィーチャット（微信）の利用を禁止する大統領令と、電子決済サービスのアリペイなど8つの中国製アプリを制限する大統領令を発令した。

TikTokの利用者が米国では9000万人近いこともあって、米国の裁判所は利用を禁止するトランプの大統領令は法的根拠が弱いとして、差し止めを命じた。そしてバイデンも2021年6月にトランプの大統領令を撤回している。

ところがTikTokに批判的な記者の個人情報を、その運営会社バイトダンス社の社員が収集していたことが判明し、米国で再び利用を禁止する動きが出てきた。それで12月23日に上院が政府端末での使用を禁止し、下院でも下院端末からの排除が決まったのである。トランプの懸念は正しかったことになる。

このほかにもバイトダンス社と米国企業との取引を禁止する法案も浮上している。これは米国企業とバイトダンス社の取引を禁止するものだ。要するに同社をSDNリストに入れてしまう法律である。

SDNリストに入れられると、ドル決済ができなくなってビザやマスターなどのクレジットカードでの決済も不能となり、利用できなくなる。また、アップルやグーグルのアプリストアも米国企業なので、アプリストアからも排除しなければならない。となると世界中でTikTokを使えなくなる。

米国の中国に対する制裁は、物品だけでなく中国のソフトウエアにも及んでいるわけだ。そこでバイトダンス社は米国政府に対して「米国人ユーザーの情報を中国国内で保存するようなことはしていない」と反論している。だが、今のところそれを信じる米国の国会議員はほとんどいない。

　日本でも国民の間にＴｉｋＴｏｋ利用が広がっている。政府でもデジタル庁がこれを広報活動に使ってきた。米国がＴｉｋＴｏｋに制裁をかけようとしているのに、なぜ日本で活用を進めるのか。そんな疑問が米国の議員から出てきてもおかしくない。

　だから自民党内でもこれによる中国への情報流出を懸念する声が出てきていて、その利用の是非が検討されるようになってきた。米国で国民のＴｉｋＴｏｋ利用禁止が決まったら、日本も同じく禁止しなければならなくなるだろう。

ファーウェイ制裁で中国の５Ｇ・６Ｇの計画自体がつぶれる

　現在の５Ｇはシステムでは中国のファーウェイ、フィンランドのノキア、スウェーデンのエリクソンという通信機器メーカー３陣営の戦いだ。通信チップをつくっているのは米国のクアルコム、韓国のサムスン、台湾のメディアテックなどである。

　日本での場合、ノキアはシステムと基地局を自社で手がけるほか、他の基地局をサムスンとＮＥＣ、ネットワークをＫＤＤＩやドコモが担い、スマホなどの端末はアップルをはじめいろいろなメーカーが提供している。端末の提供と言っても購入するのは５Ｇの利用者だ。エリクソンは自社のシステム以外は基地局が富士通で、ネットワークや端末についてノキアと同様である。

しかしファーウェイだけは、システム、基地局、ネットワーク、端末のすべてを自社製品で成立させられる。つまりシステム、基地局、ネットワーク、端末まで自社で引き受けて非常に効率的な仕組みを構築できる。このため全体のコストも、ノキアやエリクソンよりも3割程度は安くできる。同社の5Gは効率的であるとともに安価なのだ。

そのままでは競争に負けるのは明らかなので、西側陣営はフリー規格化で3陣営の横の壁をなくすことによってコストを引き下げ、同社に対抗できる競争力を付けようとしてきた。

一方、米国はトランプ政権時代にファーウェイへの5Gチップの供給を止めたのだった。同社の通信機器にバックドア（裏口）が仕込まれており、それを経由して米国の軍事情報をはじめさまざまな技術情報が中国に吸い取られると考えられたからである。たとえそれを否定したとしても、中国政府から情報提供を要請されればファーウェイも従わざるを得ないという疑念も拭《ぬぐ》えなかったのだ。

特にスマホには位置情報を確認する手段があって、マイクとカメラが付いていて顔認証データが取得できる。アップルならＯＳ（基本ソフト）とアプリの関係が明確でアプリの審査も厳しいとされているが、アンドロイドでは各メーカーがＯＳを設定する仕様となっているので、ＯＳにスパイのソフトが入り込む余地が大きい。ファーウェイの端末では独自のＯＳを採用しているので、そのリスクもさらに大きい。また同社はハードメーカーとしてチップレベルの開発も行っているのだから、バックドアを仕込むのも簡単なはずである。

というわけで、米国はファーウェイに5Ｇのチップを供給しないという制裁を科したのだ。そのためファーウェイは台湾からも世界中のどこからも5Ｇのチップを買えなくなった。そこで5Ｇのチップの供給が止まるのを前提に大量のチップの備蓄を行ってきた。

それで今まで何とか持ちこたえてきたのものの、備蓄していたチップもここに来て底をつき始めてきた。となると、自前化するしかない。ファーウェイはＯＢの元幹部が創業した新しい半導体メーカーに、米国の制裁がかからない基地局用の20〜28ナノという比較的線の幅の広い5Ｇのチップをつくらせようとした。基地局の機器は大きいので、スマホのような低消費電力は要求されないからだ。

ところが米国は、その半導体製造基地局用の半導体をつくるメーカーにも制裁をかけ、エンティティリストに入れたのである。そのせいで工場が完成しても生産ラインが入れられず、巨大な空洞の体育館のようになってしまった。

米国は今やファーウェイ以外の中国の通信機器メーカーなどに対しても5Gのチップの提供をやめようとしている。となると、例えば中国政府が相手の国に5Gや6Gの協力を申し出ても、それに対応した半導体を入手できなければ普及させることはできない。

ただしファーウェイに関しては目下、エンティティリストには載っていてもSDNリストには入っていない。トランプ政権はファーウェイのSDNリストへの掲載を視野に入れていた。バイデン政権になって、その方針は転換されたのだった。

ファーウェイはSDNリストに載れば、米国企業（銀行を含む）との取引が禁止となるからドル決済ができなくなる。加えて2次的制裁も含まれるため、ファーウェイと取引した企業も米国の制裁対象になるのだ。となると、日本などの外国の銀行もファーウェイの口座を廃止せざるを得ない。

人民元の直接決済は可能だが、外国の銀行は制裁を恐れて人民元による決済を容認しないだろう。ファーウェイのSDNリストへの掲載は、中国の5Gや6Gの計画自体を根底からつぶすことになるのである。

関連して言うと、インターネット上の住所といわれるＩＰアドレスについては現在、枯渇が懸念されているため、ファーウェイが２０１９年にニューＩＰという新たな規格を提案している。これは国際的な通信規格を決める組織のＩＴＵ（国際電気通信連合）でも大きな議論となっている。中国主導の通信規格の採用が政治的問題となってきたからだ。

２０２２年までＩＴＵのトップである事務総局長を務めていたのも中国人だった。２０２２年９月に事務総局長と電気通信標準化局長の選挙が行われ、米中対立の中で事務総局長にはロシアが推した候補を破って米国人が選出された。また、次世代通信規格を決める電気通信標準化局長には日本人（尾上誠蔵氏）が選ばれた。これでＩＴＵは日米が連携して情報通信分野の経済安全保障を確立する体制となったと言えるだろう。

これにより中国が進めようとしていた通信規格であるネクストＩＰや６Ｇの規格化過程での中国の優位性はなくなった。６Ｇのブリッジである５・５Ｇ以降は中国排除の動きが本格化するものと思われる。

そんな中、１月31日に米国がファーウェイへの輸出ライセンスを停止した。これにより同社は半導体生産が絶望的な状況に置かれることになる。

今回の規制強化により米国技術の利用ができなくなり、ＳＯＣの中核になるアームのＣ

PUを利用できない。また半導体設計支援ソフトも利用できず、半導体生産ができなくなるわけだ。現在の半導体は、SOCといわれる複合型のカスタムチップの生産が中核となる。CPUや通信チップ、グラフィックなどをひとつのチップにまとめて設計し、それをTSMCなどのファウンドリ（受託生産メーカー）が生産している。

アームなどが販売するのは、半導体の中核になる回路図とそのライセンスである。それを組み込んで、それぞれの目的に合わせた半導体に仕上げていくのだが、このライセンスが停止したことで、半導体設計そのものができなくなるわけだ。

これにより5G以降の通信システムなどにファーウェイは参入できない。システム設計ができなくなったからである。またクラウドなどのサーバー事業にも参入しているが、これも今あるサーバー用半導体が枯渇した時点で終わることになる。補修もできないことになり、信頼性の低いサーバーを利用する企業は数少ないと思われる。

米国CHIPS法の成立などの一連の動きにおいて、ファーウェイは最優先課題であり、中国による世界の通信覇権を阻止するものといってよい。中国は一帯一路に5Gによる通信の提供をひとつの材料としてきた。しかし半導体がつくれない、手に入らないのであれば、これは絵に描いた餅になる。中国で5Gのチップを生産（設計だけで生産はTSMCなどファウンドリ）できるのはファーウェイだけであり、他の企業は米国や台湾企業が生産したチップを組み込んでスマホなどを生産している。

また、この規制は他の中国企業に及ぶ可能性が高く、半導体規制により禁輸された現行主力世代のプロセス以下のものにも、いつでも適用できることが確認されたことになる。

前述したＴｉｋＴｏｋへの規制は、あくまでも入り口であり、中国政府が支配する形になったアリババやテンセントなど中国の他の企業にもそれが波及する可能性は高い。トランプ政権では、ＴｉｋＴｏｋに加え、アリババやテンセントなどにも規制をかけようとしていたわけだ。この流れはバイデン政権により停止したが、議会の強い要請により、これが覆される可能性が高いといえる。

ここで意味を持つのは、ＣＨＩＰＳ４（日米台韓）の半導体連合であり、最近では日米蘭の半導体輸出規制合意である。日米蘭が1月28日に半導体の対中規制で合意した詳細は公表されていないものの、米国規制と同様の規制となるものと推測され、現状主力世代の14㎚（ナノメートル）までが規制の対象になると思われる。問題は14㎚プロセスに利用可能な製品であり、検査装置等規制対象外向けではあるが、14㎚以下のプロセスにも利用可能なものなどがどうなるかも焦点となる。

現在の最新プロセスは3nmで、現在1・7nmの工場建設も進んでおり、①1・7nm②3−5nm③10−14nm④20−28nmと中国は4世代遅れることになる。半導体の線の太さは速度差になり、太ければ太いほど抵抗値が上がり、消費電力と発熱が増加、大型化することを意味する。現行のCPU、GPUや5Gチップでは14nm以下のものはなく、古い世代のものを再生産するか、古い技術に合わせて再設計するしかない。しかし、それは大型化と電力消費の増加、速度の低下を意味し、極端な競争力低下を招くことになる。

あくまでも現在のところ、日米蘭の合意は許可を必要としていて完全な禁輸ではない。しかし、これが完全実施されれば、中国でのスマホの生産は絶望的になる。

またAIに関しても、ロジックチップが手に入らなくなる可能性が高い。その場合、EVなど自動運転機能などを搭載できなくなる。サーバーも同様であり、低速なサーバーしか運用できなくなり、クラウドなどにも大きな影響が出る。

マザーマシンレベルで輸出を禁じられれば、つくりたくてもつくれない。

米国は中国の弱体化を狙い先祖返りさせようとしているといえる。一般的な白物家電などは生産できるが、それ以上のものは生産できない国に戻そうとしているのだろう。

米国の中国に対する半導体規制に日本も協力しなければならない

米国の規制や制裁を見てもわかるように、トランプ政権はかなり前向きに規制を行った。対中制裁もフォワードガイダンスで半年後や1年後という時間を定めたタイムスケジュールをつくって実施していた。あらかじめ、こういうことをすると話していたわけだ。

バイデン政権は２０２２年10月７日の半導体規制を見てもわかるように、何も対話をしなくていきなりガシャーンと実行していく。企業としてはこちらのほうが計画を立てにくいからダメージがきつい。そういう点では、やはりトランプのようにはっきりと意思表示してくれるほうがマーケット的にも世界的にもやりやすく目標も定めやすい。

日本では一部のマスコミが変にあおったせいで勘違いした経営者や政治家がたくさん出てしまった。すなわちバイデン政権になったら、中国に対する政策が融和的になるので輸出をこれまで通り続けていても問題ないだろう。民主党なら中国企業と関係していても大丈夫だろうということだ。

そこに大きな誤解があった。私は「議会が強硬だから、そのようなことは絶対にない」と常々言っていた。大統領が誰に代わろうが、議会の態度が変わらない限り、米国の対中姿勢も変わらないのだ。制裁の速度や肌感覚は違ってくるかもしれないけれども、結果的にやることは一緒なのである。その通りになっている。

USCCレポートを見る限り、米国に揺らぐ気配などない。ただし弱める条件はある。中国がWTO加盟の条件をすべて飲むこと、完全なる為替の自由化を行うこと、資本の自由化を行うことだ。極端な話では、米国や西側諸国の奴隷になるならかまわないという譲歩なのである。もちろん、それに中国が乗るわけがない。だから、かつての冷戦終結のように、中国の経済崩壊というプロセスを経ないと、中国を従わせるのは無理だということなのだ。

2022年5月に岸田文雄首相とバイデンは初めての対面での日米首脳会談を行った。そのときの日米共同声明には半導体に関する以下の文言が入っている。

「両首脳は、日米両国が輸出管理の活用を通じたものを含め、重要技術を保護し育成し、それぞれの競争優位を支援し、並びにサプライチェーンの強靱《きょうじん》性を確保するために協力していくことを確認した。両首脳は、日米商務・産業パートナーシップ（JUCIP）において採択された『半導体協力基本原則』に基づき、次世代半導体の開発を検討するための共同タスクフォースを設立することで一致した」

半導体協力基本原則とは「オープンな市場、透明性、自由貿易を基本とし、日米および

日米共同声明（骨子）

安全保障	大統領は日本の防衛力の抜本的強化を称賛。両首脳は日本の反撃力、その他の能力の開発、効果的な運用について協力を強化するように閣僚に指示した。
経済	半導体など重要・新興技術の保護を含む経済安全保障、新たな宇宙枠組み協定を含む宇宙、エネルギー安全保障に関し、日米の優位性を一層確保していく。
多国間連携	日米豪印が国際保健、サイバーセキュリティー、気候、重要・新興技術、海洋状況把握で成果を出し、地域に具体的な利益をもたらすことを確かにする。安全保障などで日本、韓国、米国の3国間協力を強化する。

同志国・地域でサプライチェーン強靱性を強化するという目的を共有し、双方に認め合い、補完し合う形で行う」ということだ。

要するに、米国がつくった半導体問題の規制に日本も協力することが国際公約になっている。USCCレポートに書かれている内容は1年先か2年先かは別にして、日本の政治にもそのまま反映されるだろう。

2023年1月13日に行われた日米首脳会談の共同声明にもこう書いてある。

「『日米競争力・強靭性パートナーシップ』の下での取り組みを基に、日米経済政策協議委員会（経済版2＋2）などを通じ、半導体など重要・新興技術の保護や育成を含む経済安全保障、新たな2国間での宇宙枠組み協定を含む宇宙、そして我々が最も高い不拡散の基準を維持しながら原子力エネルギー協力を深化させたクリーン・エネルギー、エネルギー安全保障に関し、日米両国の優位性を一層確保していく」

ここにある日米経済政策協議委員会は日米経済安全保障2+2のことだ。日本の外相と経済産業省、米国の国務長官と商務長官による日米経済安全保障2+2は2022年1月の日米首脳会談で合意した閣僚級の協議の枠組みで、7月29日に第1回の会合が開かれた。そのときに半導体等の規制に関して日米が足並みを揃えることになった。

日米が半導体規制で協力するという約束は、日本の政治だけではなく経済界にも当てはまる。米国に子会社を持っていたり米国で商売をしていたりする日本企業にも、当然ながら米国の規制がかかってくる。それを考えると、中国で日本企業がビジネスを行うのは非常に難しくなる。

日本の太陽光パネル問題とセキュリティ・クリアランス問題

日米経済安全保障2+2で大きな課題のひとつになっているのが、ウイグル関連製品のサプライチェーンからの完全な排除である。米国では、輸入する製品にウイグルで生産された部材や原材料が少しでも入っていると輸入してはならない。米国は、日本も含めて同盟国に足並みを揃えて同じ措置を取ってもらいたいはずだ。

例えば太陽光パネルは、チェコやタイで生産された物だとしても、原材料にウイグル産のシリコンが使われていたら輸入できないということだ。日本には太陽光パネルの普及に熱心な政治家が少なくない。代表格が東京都の小池百合子知事だ。

２０２５年4月から戸建て住宅を含む新築の建物に太陽光パネルの設置を義務づける条例が、小池知事の主導によって２０２２年12月15日に都議会で可決された。

しかし、いずれこの条例が大問題になるのは必至だ。というのは、外国製だろうが日本製だろうが、原材料にウイグル産のシリコンが使われない太陽光パネルを入手するのは非常に難しいからだ。そもそも国内で販売されている太陽光パネルで、ウイグル産のシリコンが使われていないと証明ができる物はほぼないに等しい。

この条例では、太陽光パネル設置の責任はハウスメーカーに取らせる形になっている。ハウスメーカーがウイグル産のシリコンが使われていない太陽光パネルを入手できないと、ペナルティを受けてしまう。もしウイグル産のシリコンが使われている太陽光パネルを使うと、今度はハウスメーカーが米国から制裁を受けることになる。だからこの条例の目的は、日本のハウスメーカーをつぶすことではないかと疑いたくなるくらいだ。

また、日本の人材と中国企業との関係についても米国から疑念を抱かれる恐れもある。日本の省庁のホームページには要職に就いている人物のプロフィールが載っている。例えば、こんな人がいる。国家戦略特区諮問会議、デジタル庁デジタル社会構想会議、デジタル庁データ戦略推進ワーキンググループ、総務省などで働き、日本のＩＴ関連のいろいろな仕事に関わってきた。

しかしこの人のブログを見ると、中国科学院計算技術研究所の客員教授になっているのである。米国のエンティティリストの中には、中国科学院計算技術研究所が含まれているのだ。中国科学院計算技術研究所は中国の軍事開発の一部を担っている。エンティティリストに載ったところには、物だけではなく技術や情報も渡してはならない。

そこに日本の役所で要職を歴任した人物が客員教授を務めていていいのだろうか。エンティティリストは米国のものだが、対中制裁では日米の協力が強調されるようになってきているのだから、この人物のケースについても制限を設けなければならない。

そのためには、やはり日本でもセキュリティ・クリアランス制度をつくる必要がある。セキュリティ・クリアランス制度とは、機密情報へのアクセスを一部の政府職員や民間の研究者・技術者に限定する仕組みだ。最先端技術に関する機密情報に触れる関係者に資格を付与して機密情報にアクセスできる者を明確にする。そして、それらの情報が国外に流出することを防ぐというのが狙いである。

今後、セキュリティ・クリアランス制度の創設についても米国から強い要求があるものと思われる。

制裁を加える米国への中国の対抗策

輸出規制でＷＴＯに米国を提訴した中国を排除していく新ココム

中国は２０２２年12月12日、先端半導体などをめぐる対中輸出規制が不当だとしてＷＴＯ（世界貿易機関）に米国を提訴した。しかしＷＴＯの規定の21条に安全保障除外があり、安全保障を理由にする限り、ＷＴＯ違反とはならない。問題はその適切性だが、半導体が軍事目的で利用されている実態から違反とはならないだろう。

また、ＷＴＯの上級パネルは裁判で言うと上級審にあたる。この上級パネルはそもそもトランプ政権時代の米国がメンバーを任命していないため、もはや紛争解決では機能不全に陥っている。たとえWTOの下級審で勝ったとしても上級審が行われないので何の意味もない。

WTOは各国の出資によって成立している。出資比率の高い米国が単独拒否権を持っているため、重要な案件での決定権も完全に米国が握っているのだ。そこが国連との大きな違いである。

国連は安保理以外は基本的に1国1票による投票で議決する体制になっている。それに対して、ドル支配と自由貿易を維持してきた米国は、IMF（国際通貨基金）、世界銀行、WTOにおいていずれでも単独拒否権を持っているのである。だからWTOの運営も中国の思い通りになるはずがない。

米国はUSCCレポートで中国がWTO加入時の国際公約を満たしていない現状を問題視している。2005年、中国は為替と資本移動の自由化、規制緩和を約束し、WTOに加盟した。だが現状では、どれも守られていない。それどころか、中国は国有企業改革の名の下に民間企業を国有化したり、不正な補助金によって企業を支援したりしている。

とはいえWTOには、特恵関税の廃止やWTO除名に関する明確な制度がない。そのために制度的には対処できないが、米国議会は、中国のWTO違反が認められた場合には中国に対する特恵関税など恒久的な貿易関係を停止するように求めている。

もっとも、米国がいくらＷＴＯの場だけで中国の問題点を指摘しても実効性はないので、ＷＴＯとは別に新たな枠組みをつくって圧力を強めているわけだ。半導体同盟であるチップ４はその始まりであり、通常兵器の輸出管理に関する国際的な申し合わせであるワッセナーアレンジメント（通称「新ココム」）の強化も図っている。

ココム（対共産圏輸出統制委員会）とは、冷戦期に西側陣営が東側陣営へのハイテク物資の輸出を規制する目的で創設され、１９５０年から活動を開始した。参加していたのはアイスランド以外のＮＡＴＯ（北大西洋条約機構）加盟国と日本、オーストラリアである。ソ連崩壊で冷戦が終結したためにココムは１９９４年に解散した。

ただしココムの兵器輸出規制協定は後身のワッセナーアレンジメントに引き継がれたので、ワッセナーアレンジメントは新ココムとも呼ばれている。だから新ココムもロシアや中国排除の仕組みということになるだろうし、その流れはこれからさらに拡大していくはずだ。

お金があっても最新の半導体製造装置を買えなくては意味がない

２０２３年に入って、中国が先端半導体に対する1兆元（約19兆円）の投資を停止したという報道があった。これは表向きにはコロナによる財政圧迫が原因だということだが、実際には米国の半導体規制による影響が大きいと思われる。

米国は２０２２年10月７日の半導体規制に次いで、さらに12月にも半導体関連の輸出管理を強化した。その影響はすでに中国国内でも出始めていて、例えばパソコンの主力部品であるマザーボード。これは中国で組み立てたものが非常に多く、世界中に輸出されている。ところが規制強化でワイファイの無線通信機能が付いているマザーボードなどは、非常に品薄になっていて値段も高騰している。品薄になったのは、規制強化で中国で通信チップが入手しにくい状況になってきているためだ。

半導体製造装置の規制強化については、ファーウェイにからむ企業、通信にからむ企業、不正を働いたと見なされる企業に対しては最新の装置どころか古いの装置まで売らないという非常に厳しい規制となった。そのため中国では半導体工場が完成しなくなった。

古い装置まで手に入らなくなって汎用の半導体が生産できないのは量を確保するためには痛手になる。ただし中国としてやはり自家製の先端の半導体を持ちたい。だから中国としては、特に西側から最新の半導体製造装置を買えないのでは、いくらお金があっても意味がないということだ。中国はずい分、追い込まれてきている。

とはいえ中国の対米制裁では、輸出管理法をはじめ反外国制裁法など米国法と対立するミラー法案を制定済みである。現在のところ、運用面で完全な実施には至っていないだけだ。

逆に言えば、これから運用次第でどうにでもなる。反外国制裁法は２０２１年６月に制定された。これはウイグルの人権、香港民主化の問題で米国とイギリスから受けた制裁に対抗するために外国に制裁を加える根拠となる。

これで外国制裁に該当するのは、外国が国際法および国際関係の基本的な規範に違反し、各種の口実またはその国の法律に基づき、中国に対し抑制、抑圧を行い、中国の公民、組織に対し差別的制限措置を講じ、中国の内政に干渉する場合である。

最近では２０２２年12月23日に中国外務省が反外国制裁法に基づいて、米国政府や議会で中国の人権問題調査に協力してきた専門家の米国人２人に制裁を科すと発表した。２人について中国国内の資産を凍結し、中国への入国を禁じるというのが制裁の内容だ。

しかし習近平政権がチップ４が足並みを揃えて行う半導体規制に対抗するには、反外国制裁法のような生ぬるいものでは、やはり非力と言わざるを得ない。

第3章

底に落ちていく中国経済

不動産バブルの崩壊

穴の開いた風船に空気を送り続ける不動産バブル

米国の半導体規制が一部しかかかっていなかった2022年9月の段階で中国の半導体輸入は、すでに12・4%減だった。国内生産も16・4%減となり、中国の半導体が国内で売れてない状況になっていた。中国に経済的な減速感が出ていたのである。

中国は米国の規制を恐れて世界中から半導体を買い漁っていた。しかし需要がないのでそれができなくなってしまった。しかも非常に厳しいロックダウンを行ったのだから、需要が増えるわけがない。不動産バブルが崩壊してしまったため物欲も減退してしまったようだ。日本のバブル期と同様に、それまでの中国は成金の人々が自動車や大型の耐久消費財を買う動きが強かったのだ。

中国はゼロコロナを実現し継続してきたからこそ、やめた後のダメージが一気に表面化した形になっている。加えて不動産バブルの崩壊も拍車をかけるから、国全体が大きな経

マンション価格の年収に対する倍率

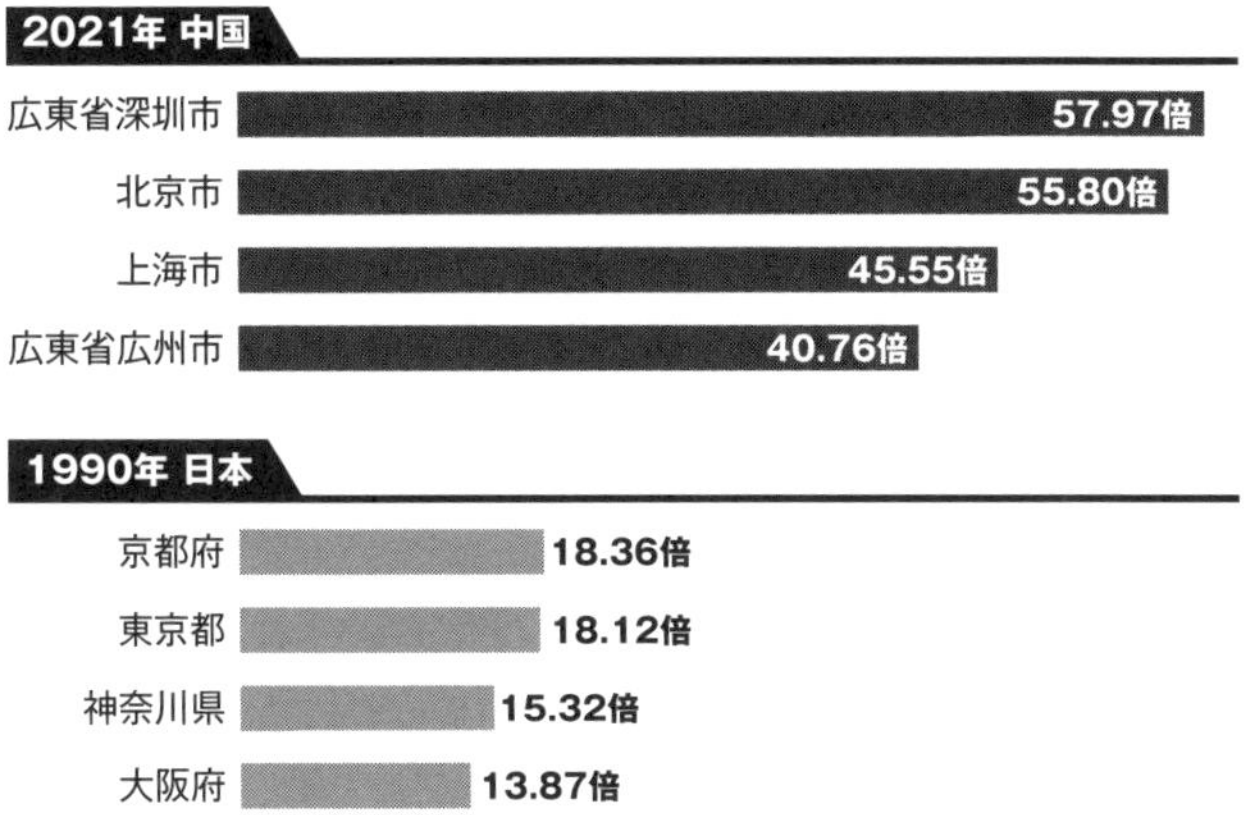

出所：如是金融研究院、東京カンテイ

済的ダメージを受けるのは間違いない。ただし悲鳴を上げているに等しい現状が見えないのも中国だ。バブル長者による消費が消滅しているにもかかわらず、それが見えてこないのである。

中国では財政の半分以上を土地利用権の売却益でまかなっているので、国そのものが強大な不動産デベロッパー化している。

中国の中央と地方の政府の財政の50％以上が不動産の売却益なのである。中国はこれまで計画経済によって不動産バブルを生み出し、不動産価格の上昇によって購買をつくることができた。不動産の権利の売却益は不動産区画全体として見ると、深圳《しんせん》で年収の60倍、上海や北京で45倍という状況にもなっている。

二級三級都市でも30倍以上で日本のバブル期の2倍以上の大きさに膨《ふく》れ上がっている。日本のバブル期にいちばん不動産価格が高かった京都ですら年収の18・36倍ぐらいだった。

中国の不動産システムは日本と大きく異なる。日本では不動産を引き渡す際にローンの実行が行われる。中国では不動産を購入した時点で実行が行われる。だから不動産デベロッパーは不動産の利用権を購入して、その開発計画ができた時点ですでに青田売りで現金が手に入るため、次の開発に着手できるのだ。それで非常に早いサイクルで不動産バブルが拡大してきた。

上海がその典型だろう。コロナ対策でロックダウンをすれば、社会保障が日本のように手厚くないこともあって、必然的に上海市民の収入は止まる。となるとローンの支払いも止まってしまう。そうした状況の中で誰がローンを払えるのか。現在は不動産価格はまだ大幅な下落に転じていない。理由は地方政府と中央政府が無理やり国有企業に買わせているからだ。最終的には不動産も全部人民公社の扱いになるだろう。

大手の民間デベロッパーの大半はデフォルト（債務不履行）になっている。例えば、やはり破産状態にある中国恒大という不動産デベロッパーは海南島の海の人工島でドバイのような建物をたくさん建てていた。そこに行政から「39棟の建築中の建物を打ち壊せ」と

給与の伸びを上回り急増する住宅ローン残高

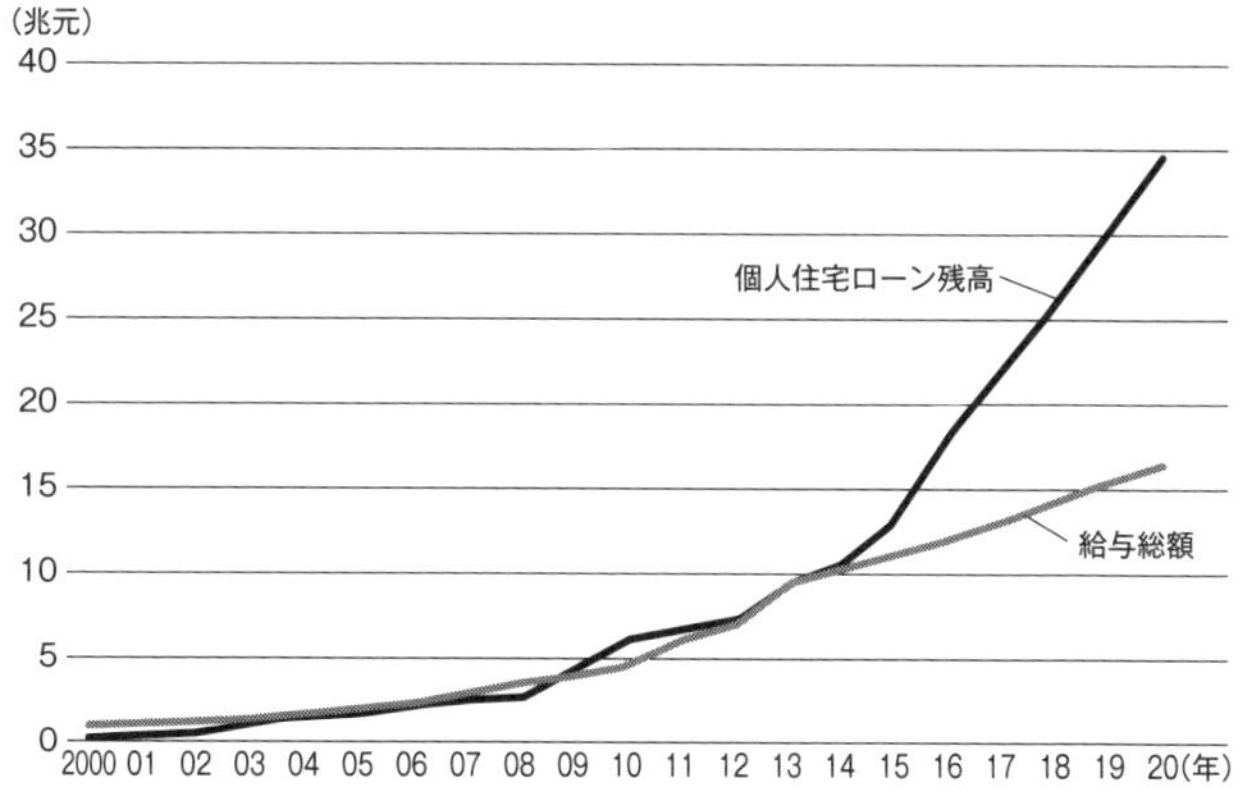

出所：中国国家統計局より大和総研作成

いう命令が出たのに、そのまま壊さないで温存し、結局、国が没収した。このような完成しない物件や売れ残りの物件も非常に増えているのだ。

つまり、地方政府、中央政府ともにそうした不良債権をたくさん抱えていて、それらを共同購入のコープをつくって企業に買わせるということもやっている。とすれば、いずれ住宅も最終的には配給システムになるのではないか。

日本の企業であれば６ヵ月以内に２回の不渡りを出すと銀行取引停止になる。ところが、中国の場合は銀行取引を停止にせずに中央政府と地方政府と中央銀行が銀行に対して「不渡りを出している会社に融資をしろ」と命じて無理やり融資をさせている。

それによって、本来ならつぶれている企業がゾンビ化する。つまり、穴の開いた風船に無理やり空気を送り続ける状況が現在の中国の不動産バブルなのである。

不動産バブルの崩壊と厳しいロックダウンの後遺症で、今や国内経済は大いに疲弊《ひへい》している。大きな歯車が狂い始め、粉飾企業の末路のようになっている。そのため自己破産が3億人に達したと言われる。実態は非常に厳しいのだ。

不動産バブル崩壊の原因になった2021年の銀行に対する3つのレッドライン（総資産に対する負債比率70％以下、自己資本に対する負債比率100％以下、短期負債を上回る現金の保有）の規制を主導したのが習近平だった。それでバブルの弾け方はハードランディング過ぎることになるだろうとして、共青団はけっして賛同していなかった。

不動産バブルを弾けさせなければならないのは誰もがわかっていても、もっとソフトなやり方があったに違いない。

つまり、金融音痴、経済音痴というのが習近平の最大の弱点だ。それだと自由経済体制のマーケット中心の社会ではもたないのである。裏を返すと、計画経済化すれば中国経済はもつかもしれない。ただし国際産品は全部マーケットで売買されているので、中国経済は混乱するだろう。

そうした大きな経済のゆがみは、さらに中国人民11億人を敵に回すことになるかもしれない。しかもロックダウンの後遺症と最悪のコロナの大感染によって、さらに内需は激しいダメージを受けるだろう。

市場経済と計画経済のよい点だけを利用するのは限界

中国は計画経済から脱却していない。しかし金融システムは金融ビッグバン後の米国が協力してつくったものであり、計画経済とはかけ離れたものだ。不動産への融資を行ってきた融資平台はリーマンで問題となったＳＩＶ（金融機関やヘッジファンドがハイリスクの証券化商品などを運用する目的で設立された特別目的会社）そのものである。金融システムはよくも悪くも最先端で、私募債やファンドなどの金融商品も多数販売されており、預貯金よりも活発な取引が行われてきた。

背景には、公的な年金システムなどの不全がある。併せて右肩上がりの経済成長および不動産価格の上昇があった。預金金利よりも高い経済成長、高い不動産価格の上昇が金融商品を支えてきたわけだ。それらを利用してきたのは中央政府と地方政府であり、投資者である中国の人民である。だが現在は、それがアダとなって破綻と取り付け騒ぎの元凶を生み出している。

銀行の簿外で行われてきた私募債では高い金利が約束され、そこに政府保証があると誤認されてきた。これはリーマンショックの際のＭＢＳ（不動産担保証券）と同じである。政府保証がないことが明示されたことでＭＢＳの価格は暴落し、それを保有していた銀行や保険会社、ファンド、消費者の破綻が相次いだ。

現在、中国の金融はそれと同じような状況に陥っている。地方銀行などが破綻を続け、不動産業者もゾンビ化して実質破綻している。

中国政府は不動産業者などへの貸し付けを拡大するように銀行に求めているが、銀行としても、それが不良債権になることがわかっているので融資に慎重である。逆に健全性維持のために貸し渋り、貸しはがしを続けている状態になっている。不動産以外の融資も同様で、中国政府のさまざまな規制等により、民間企業への融資はリスクの高いものになった。この状況では資金は循環しない。

それをクレジットクランチと呼ぶわけだが、これに対して効果がある政策はヘリコプターマネーであり大規模な量的緩和ということになる。一方、資産価格はバブル状態のまま

民間債務残高の比率（非金融部門のGDP比）

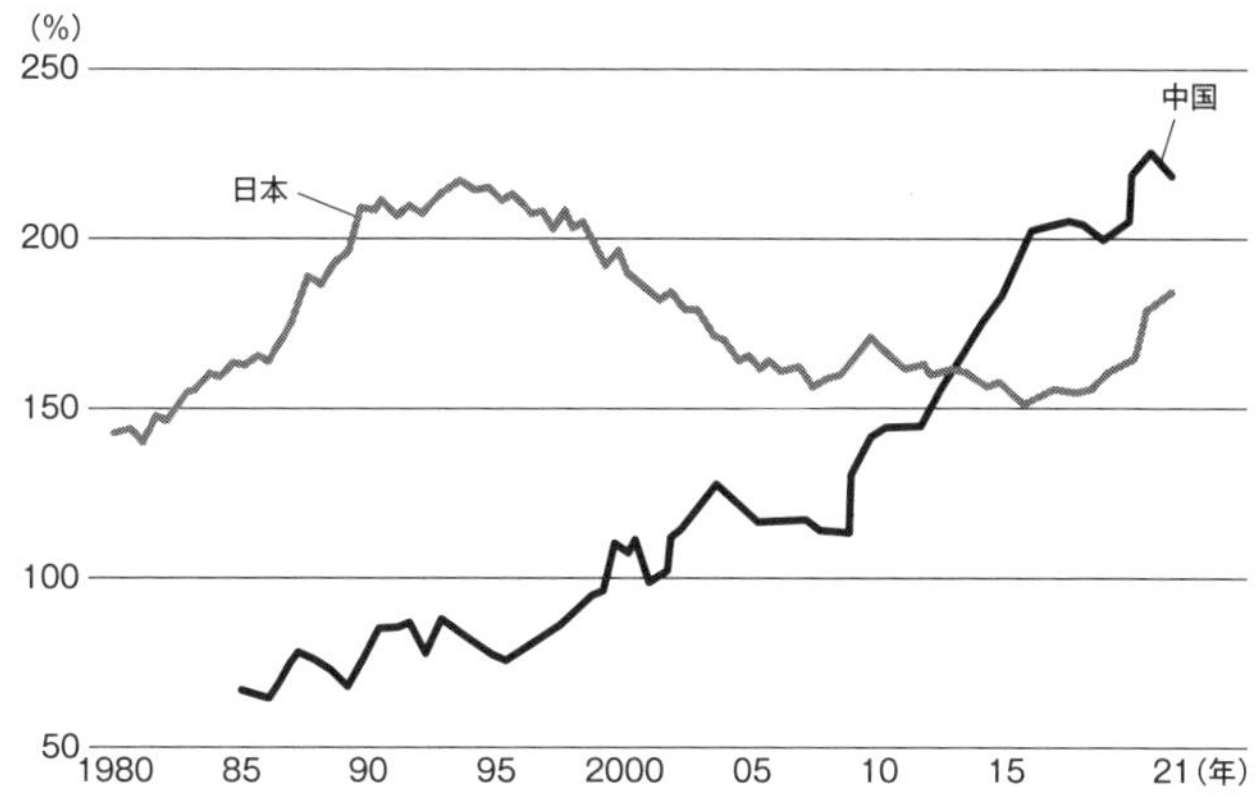

なので、額面上の資金は飽和状態にある。

つまり、市場を無視する不動産価格の統制などによって価格は高いままだから、売るに売れない状態にある。このため量的緩和はインフレを招くだけの結果となる。そこでもし自由市場の原則を貫けば、不動産価格の大暴落と銀行の信用不安に発展するだろう。

今のところ不動産価格が統制されているために、破綻もない代わりに資金循環も止まっていることになっている。経済の血流が止まって末端の弱い部分から壊死しているとも言えるだろう。

中国は市場経済と計画経済のよい点だけを利用してきた。今は両方の負の側面が一気に噴出している状態で、どちらにしても人民元安の要因になる。中国は価格統制でそれを防いでいる。いつまで続けられるかはわからない。

管理変動相場制は充分な外貨の保有が前提であり、外貨準備が枯渇すれば維持できなくなる。外貨準備は中国の貿易黒字で裏付けられているから、資本収支が黒字であることが必要になる。中国経済は、いわば正解のないパズル状態にあるのだ。

人民元決済を封じ込めていくことも米国の有力な戦略

中国は人民元の新しい社会をつくると言っている。人民元が下落してしまうと、中国の今までのような購買力も失ってしまうし、原油も買えなくなる。だから中国は人民元決済を急いでいる。

中国は決済の仕組みにＳＷＩＦＴという従来の通貨決済ではなく、ＣＩＰＳという人民元決済システムを導入している。これを世界中に広げようとしており、実際に広げつつある。しかし、それは日本にかつてあった全銀協の仕組みをＳＷＩＦＴに合致させただけだ。つまり、ＳＷＩＦＴに入っている銀行がＣＩＰＳに入っているので決済が成立しているのである。

外国の対中債券投資残高と人民元の対ドル相場

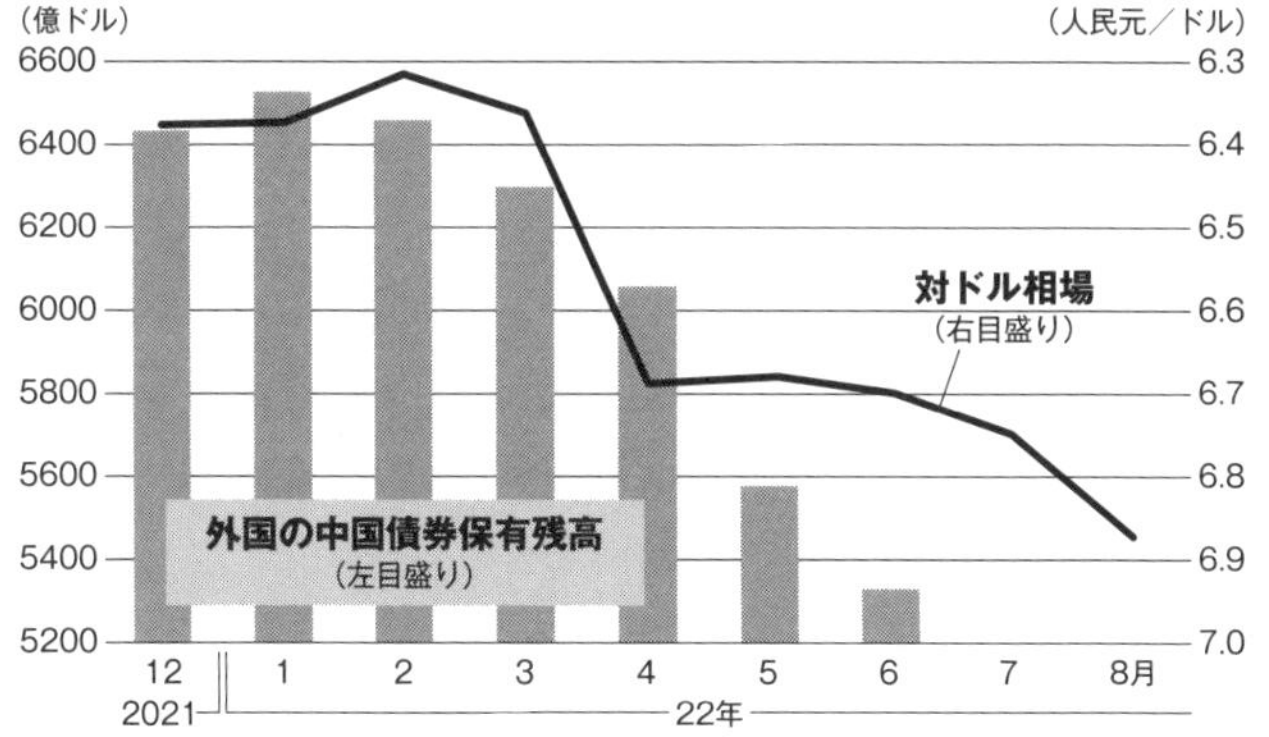

注：8月の人民元相場は24日時点

データ：中国人民銀行、CEIC

ＣＩＰＳは中国の銀聯カード（ユニオンペイ）とともに広まっている。国際決済ができる銀行は全部ＳＷＩＦＴにも加盟しているからこそ、この決済システムも成立するのだ。これはビザやマスターなどに対応する形でつくられたもので、デビットカードの決済である。

しかし、もしＳＷＩＦＴ側または米国側がＣＩＰＳを利用した場合に、ＳＷＩＦＴから排除するとすれば、すべての銀行がＣＩＰＳから撤収することになる。ＳＷＩＦＴとＣＩＰＳのどちらの選択を迫られたら、ＣＩＰＳを選ぶ国際決済の外銀はないからだ。

ロシアは２０１４年のクリミア紛争の際にロシア銀行発行のビザやマスターのカードが

全部いったん使えなくなった。その反省からロシア最大の銀行ズベルバンクなどが中心となって、ビザやマスターと提携する形でミールというロシア独自の銀行のクレジットカードシステムを国内で普及させた。ズベルバンクは日本で言うと農協だ。

ところが、ビザやマスターがミールと切れてしまった。そこで中国の銀聯カードに連携を打診したところ、断られたのだった。

ロシアと手を結ぶと金融制裁の対象になってしまうため、銀聯カードによる人民元決済も海外でできなくなってしまうからだ。今後、人民元決済をどうやって封じ込めていくかということも米国側の有力な戦略である。

出生数が1000万人を切り2年連続で建国以来最少

中国国家統計局が1月17日発表した2022年末の総人口は14億1175万人で、2021年末から85万人減って61年ぶりに減少となった。中国の人口がついに減少に転じたのだ。しかも2022年の出生数は106万人減の956万人となり、2年連続で1949年の建国以来の最少を記録した。出生数を総人口で割った普通出生率は0・677%となり、建国以来の最低を更新した。人口減少は急激に加速するものと見られている。農村部

中国の総人口と前年比の推移

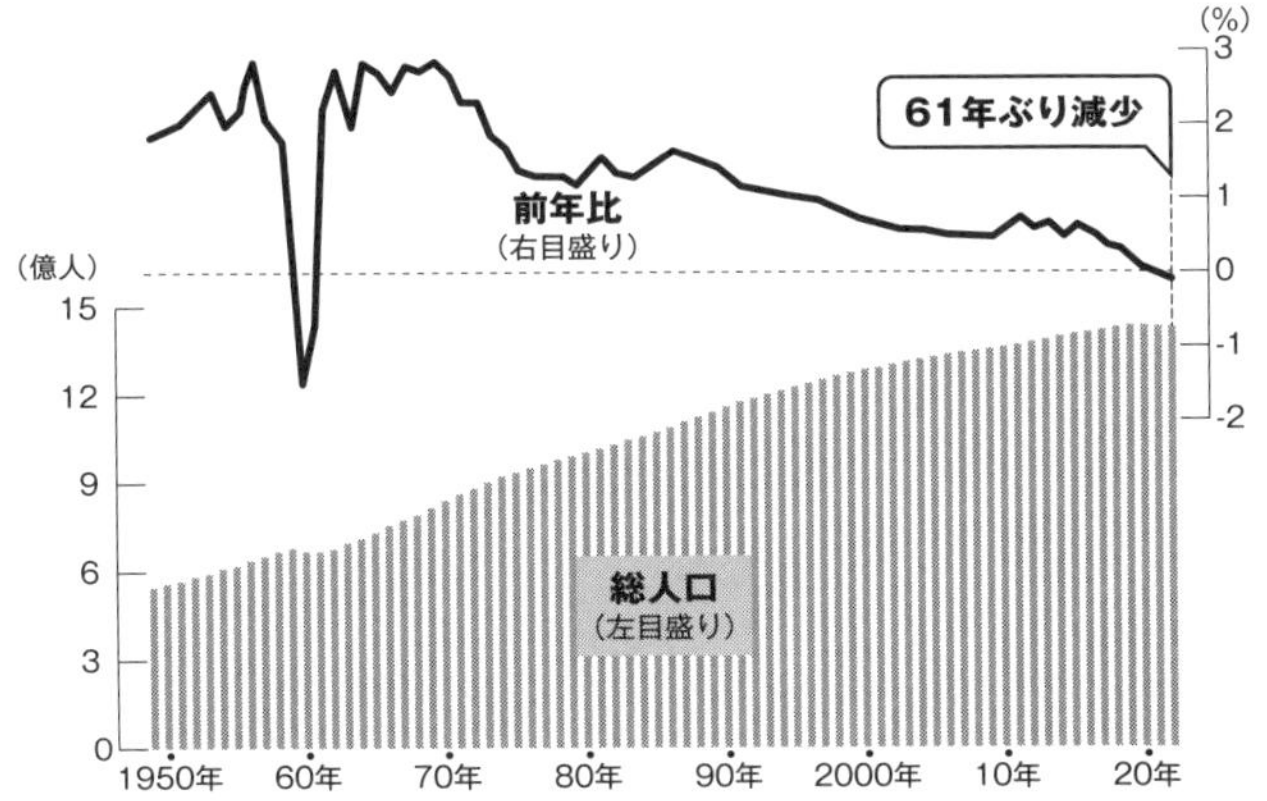

中国国家統計局調べ

では産み分けが行われているため、女子が少なく男女比のゆがみも大きい。

一人っ子政策は１９７９年に始まっている。私より10歳下なので第１世代は43歳だ。ということは一人っ子は、すでに２世代まで進んでいる。

日本では若い労働者が多い人口ボーナスから高齢者が多いオーナスへの転換がおおよそ１９９５年に起こっている。そして人口減少に入ったのが２００８年だった。この間13年だった。

中国は２０１５年にボーナスからオーナスへの転換が起こり、実はもう２年前の２０２１年から人口減少が起きていたという話もある。だから５～７年で日本が老いていくスピードに追い付いたのだ。一人っ子政策の弊害にそのスピードはさらに加速していて、中国は急速にどんどん老いている。

中国の株式バブルがはじけた2015年頃の統計では、人口減少社会に入るのは2028年頃と予測されていたが、これが少なくとも6年前倒しされた形となった。少子化におけるすべての前提が狂ってきたのだ。

中国共産党は中華人民共和国設立100年となる2049年に世界の支配国家になるという目標を掲げている。その頃には人口が半分程度になっていると予測されているので、目標達成は不可能だろう。

中所得国の罠という言葉がある。これは、新興国が先進国になる過程で所得の上昇により生産効率が低下し、他国に生産拠点が移っていくことで発展が抑制される。同時に債務が重荷になる形で債務危機を迎えるため先進国になれない、というものである。外部資本に頼れば頼るほど、この罠に落ちる可能性が高い。1997年のアジア通貨危機もそれが原因で発生した側面が大きい。

中国の発展は中国共産党員の富裕層と農村部出身者の低賃金労働者の格差のゆがみが生み出してきた側面が大きい。それを特に不動産価格の上昇が支えてきた。その不動産もバブルが弾け、富裕層が一気に債務者に転換する可能性も高くなっている。

中国には公称14億人の人口（実際には11億人程度だ）に対して34億人分以上の不動産がある。不動産バブルが中国の消費を支えてきたことも事実だとしても、富裕層が消えることで内需も消滅する。それが人口減少によって加速するのである。

しかも日本では社会保障システムがしっかりしているのに対し、中国では公的な年金や社会保障システムがないに等しい。あるとしても軍人の恩給くらいしかない。

中国政府は結婚すると３ヵ月に１回ぐらい、「赤ちゃんを産んでください」と電話をかけるそうだ。しかし今のような経済状況では、雇用が安定していないため子供を産めない。日本と違うのは、社会保障やインフラが成熟する前の発展過程の途中に、一気に高齢化で国が老いることになってしまったことだ。セイフティーネットの基盤ができる前だから、国民の生活に甚大な影響が出てくるだろう。

債務不履行になると必然的に都市から田舎へと下放

若い労働者が多い人口ボーナスという状態から人口オーナスに転換すると、国家の成長が止まる。日本では２０００年前後から街を歩いていても急に高齢者が多くなってきた。

中国はその日本の3倍以上の速さで急速に老いている。

中国は都市戸籍の都市住民が3億人で、その他の地域が8億人前後と言われている。都市戸籍の人しか都市の正当な労働環境は得られないので、地方から出てくる農民工は賃金が3~5万円程度と安い。

富裕層が3億人のうち1億5000万人ぐらいがOECDレベル、先進国レベルの生活ができる。いわゆる富裕層と呼ばれる年収1000万円以上の人々が4000万人から5000万人ぐらいいるのではないかと言われている。膨大な人口を抱える国だからこそ高齢化した場合、国家のきしみも非常に大きなものになる。

この状況において格差も、ものすごく大きい。格差の上の層がほぼ壊滅すると、共産主義革命が起こって中国社会がよくなるではないかという見方もある（笑）。

習近平としては供銷合作社、昔のコープ制度みたいなものを復活させようとしている。安いご飯が食べられて泊まるところもある公営住宅のようなものをつくる。そこではとりあえず贅沢《ぜいたく》はできなくても生活はできる。

現状では中国にはデフォルトになっている人が3億人いる。つまり、コロナで給料が止まってしまってローンが払えない人がもうすでに3億人ということだ。今や都市でも田舎でもスマホ決済でないと生活できない。デフォルトすると信用スコアリングの点数が低くなって、携帯電話の契約から何から全部できなくなってしまう。

デフォルトすると都市では暮らせなくなるので必然的に田舎に下放されるということになる。このような文化大革命的な解決法がひとつの解決法としてある。

どうやって処理するのかという話では、回答としては２つある。極端な共産主義に戻すか、ハイパーインフレを起こして借金を消してしまうか２択しかない。どちらにしても地獄だが、地獄の過程を経ないと中国社会は正常化しないだろう。

一帯一路をめぐる見えないパワーゲーム

中国の一帯一路は、アジアとヨーロッパを連結する陸路と海路による巨大な貿易圏を形成する構想だ。一帯一路でのインフラ建設などに関連して、中国から借金をしている国々が多くある。その借金は各国で内乱が起きる大きな要因にもなっている。中国による賄賂《わいろ》や利権と新興国の政治の中枢部とが強い関係を結んできたことが明るみに出て内乱につながるのである。

一帯一路に関わっていたガーナは２０２２年にデフォルトになって財政破綻した。このガーナが2023年に入って、IMFに対し共通枠組みでの債務免除申請を行ったのである。国際的な国と国の債務整理は、国際的な国家の破産裁判所にあたるパリクラブで行われてきた。だが、中国はパリクラブに入っていない。これを問題視する形で2020年11月にG20では共通枠組みの合意がなされたのだった。

これまで中国は債務の罠を用い、返済できない貸し付けを行い、各国の資源や港の権益などを略取してきた。この合意によって、中国だけが権利の主張をして特定の権益を得るようなことはできなくなった。つまり、パリクラブの債権者と同列に債務整理に応じる義務が課せられたのだ。

パリクラブでは、加盟の債務国の債務と中国の債権を合算して債務額を確定する。そのうえで返済可能な額を算定して返済計画を策定し、各債務国の債務をヘアカット（減額）する。払えない額を貸し付けた側にも責任があるから、債権者もその責任を取るわけである。

2016年のG7伊勢志摩サミットでは、返済不能な融資をすることを禁じた質の高いインフラ投資の合意が行われた。中国に対して債務の罠を仕掛けたのが日英米であり、きっかけとなったのが安倍政権での伊勢志摩サミットというわけである。

翌年のG20ではそれに同調する声明が出されている。しかし中国はこれを守らず、返済不能なことを知りながら一帯一路融資を拡大していったのだった。

そうした中でコロナが発生し、各国ともに返済不能となったため、G20では2021年末までの返済猶予を行うともに共通枠組みでの債務整理を義務付けた。2021年に猶予期間が終了し、しかも米国の利上げを行ったため、新興国の多くが財政破綻状態にある。新興国のほとんどはドルで借り入れているため、ドルの金利が上がったことで借り換えができなくなったのだ。

IMFでは債務の整理を前提に、国家運営に最低限必要な資金を貸し出す。共通枠組みでの債務整理がなければ、再建のための支援を行えない。ただし債務整理に応じる姿勢の中国に対して強制する手段は限られている。中国が現実には応じないならば、他国が中国との経済関係融資関係を見直すことになる。日米やEUなどがファンドをつくり、中国と対抗する手段も構築している。

これが機能的に動き出せば、中国にとっては過去の融資が不良債権化する。担保融資のつもりが無担保融資になってしまうのだ。つまり海外資産が一気に減少することになる。

中国の外貨準備は潤沢のように見えるものの、一方で外貨建ての借り入れも大きいため、ドル金利の上昇は中国にとって大きな負担となる。だからこそ中国は人民元の国際化を果たし、人民元での貸し付けを増やしたい。だが、それは米国をはじめとするＧ７によって阻止されようとしている。

どこかの国が中国から債務放棄の合意を得れば、それが慣例となって一気に申請を行う国が出てくる可能性がある。だからこそ中国は容易にそれに応じられない。西側先進国との見えない政治のパワーゲームのひとつである。

なお、中国が創設したＡＩＩＢ（アジアインフラ投資銀行）は世界銀行と共同貸付などで資金を出すだけになっている。ＡＩＩＢでは資金集めができなくなっているからだ。ＡＩＩＢが資金集めをしようとすると調達金利にプラス３％くらいのプレミアムが付くため、８％で借りて、それ以上の金利で貸すような超高利の融資の話になってしまうからだ。

世銀やアジア開発銀行が貸す場合は基本的にプライムレート（最優遇貸出金利）なので、米国の金利とドル建てだったら金利は米国債とほぼ一緒である。

中国はＡＩＩＢの資金で一帯一路を広げていくつもりだった。一帯一路で特殊条件を付けたりして減額に応じないとか、特定の担保を取って99年の租借をしたりするなど好き勝手にやってきた。だがＡＩＩＢが融資をできなくなったために、そういうこともうまくい

郵便はがき

料金受取人払郵便

牛込局承認

8133

差出有効期間
2023年8月
19日まで
切手はいりません

1 6 2-8 7 9 0

東京都新宿区矢来町114番地
神楽坂高橋ビル5F

株式会社ビジネス社

愛読者係行

ご住所 〒 TEL:　（　　）　FAX:　（　　）		
フリガナ お名前	年齢	性別 男・女
ご職業	メールアドレスまたはFAX メールまたはFAXによる新刊案内をご希望の方は、ご記入下さい。	
お買い上げ日・書店名 年　月　日	市区 町村	書店

ご購読ありがとうございました。今後の出版企画の参考に
致したいと存じますので、ぜひご意見をお聞かせください。

書籍名

お買い求めの動機

1　書店で見て　　2　新聞広告（紙名　　　　　　　　　）

3　書評・新刊紹介（掲載紙名　　　　　　　　　）

4　知人・同僚のすすめ　　5　上司、先生のすすめ　　6　その他

本書の装幀（カバー），デザインなどに関するご感想

1　洒落ていた　　2　めだっていた　　3　タイトルがよい

4　まあまあ　　5　よくない　　6　その他(　　　　　　　　　)

本書の定価についてご意見をお聞かせください

1　高い　　2　安い　　3　手ごろ　　4　その他(　　　　　　　　　)

本書についてご意見をお聞かせください

どんな出版をご希望ですか（著者、テーマなど）

かなかった。しかも中国の一帯一路での融資が前述の2020年のG20で強く批判されたため、一帯一路は単なる債務の構想になってしまった。

また中国が目下、いちばん困っているのが食料問題なので、一帯一路の形態も変わってきて食料中心のものに変わりつつある。

中国の食料確保ではユーラシア大陸のほうが侵略の価値がある

中国の食料問題は国民をいかに食わせるかということだ。食料がないと生きていけないのでエネルギー以上に食料不足は深刻な問題である。

そのため海外から食料をどうやって輸入するかということが、中国にとって非常に重要だ。中国の一帯一路も当初の工業の一帯一路から農業開発の一帯一路へと変わってきている。一時、行方不明になったアリババの創業者ジャック・マーもスペインで農業を行っていた。中国が北海道からいろいろな農産物を輸入しようとしているのも、いわゆる食料の安定確保のためだ。

例えば豆腐は大豆がないとできない。穀物のまま食べるのに比べて同じカロリーを得るには、鶏肉では穀物の6倍、豚肉では同8倍、牛肉では同12~15倍の量が必要になる。

しかし中国では１９８０年代97％だった大豆の自給率がすでに12％前後まで落ち込んできている。習近平は25％まで戻すと言っている。だが実際にできるかどうかは、わからない。

大豆の輸入先は米国が35％、ブラジルが50％、輸入の合計は85％になる。北米と南米は季節の違いがあるため、中国は夏は米国から、冬はブラジルから輸入するわけだ。

もし台湾有事のような戦争状態になったら、米国は必然的に大豆の輸出を止める動きをする。それは大豆以外の食料でも同様だ。

外国から調達する以上、もし戦争状態になった場合、食料の入手が困難になる可能性が高い。

その点、ウクライナと台湾の最大の違いは後者には海という自然国境が存在するということだ。例えば日本やブラジルで農業生産を行っても、海を渡って運ばないと農産物が手に入らない。そういう意味では中国にとってユーラシア大陸のほうが侵略する価値がある。だから実際、中国は中央アジアなどに軍事的拡大をしようとしている。

中国がロシアの衛星国家である中央アジアのカザフスタンと協力関係を結ぼうとしているのも、そこに農業生産を含む食料生産基地をつくりたいからだろう。

また、農業生産量は基本的に水の量に依存している。どれだけ水が確保できるかによって収穫量もある程度想定できて、その農産物の価格も決まる。

中国は水不足だから、どうやって水を安定確保するかということに非常に腐心している。例えばバイカル湖を中心としたロシアの水がほしいのである。中国がウイグルなどにどんどん北上して行くのは水の確保という意味合いも強い。そうなると中国の戦略は、どの時点かでロシアと必ずぶつかることになると想定されるのである。

中国から脱出する日本企業

中国からの撤退を公言できるのは逃げ切った企業だけ

米国による半導体規制や輸出管理の強化などにより、中国に進出している多くの外国企業も企業活動が困難になりつつあるという認識を持ち始めて、将来に向けての生産計画や活動計画の見直しを進めている。ただし外国企業はどこも中国当局と事を構えたくないので、その見直しは静かに水面下で行っている。

しかも中国では以前のような自由な経済は、もう維持されなくなってきた。となると当然、外国企業に対して中国の風あたりも非常に強くなる可能性が高い。とすれば、日本企業も早い段階で中国脱出を図っていかないと大変なことになるだろう。

そんな2022年10月、元経団連会長でキヤノン会長の御手洗冨士夫氏が「経済の影響を受ける可能性のある国々においては生産拠点を放置しておくわけにはいかない。より安全な国へ移すか、日本に持って帰るかという2つの道しかない」と発言した。

キヤノンは2022年初めに中国にあったカメラ工場を閉鎖している。同社はすでに安全なところに移ったから、御手洗氏も口を開いたのだ。しかもキヤノンは500億円の投資で半導体製造装置の新工場を国内の宇都宮につくることも決めている。言うまでもなく、これは日本の半導体産業にとっては大きなプラスとなる。

経団連の中国に進出する企業はどこも中国にいるとヤバくなることはわかっていながら、撤退を終えるまでは中国を刺激しないようにしている。日本の経営者らしい判断だ。だが、ここに来て本当にヤバいのではないかということで、キヤノンのような逃げ切った企業が「一抜けた」と言い始めたわけである。

ただし中国から撤退したくても、すぐには撤退できない日本企業は少なくない。そうである以上、中国当局からイジめられないためには、とりあえず寄り添うふりをしておくほかはない。

それでも着実に中国から撤退する日本企業は増えている。例えば富士フイルムビジネスイノベーション（旧名富士ゼロックス）も中国の複合機部門を完全に廃止する。当初は中国にその部門を売る予定だったのに、最終的には廃止すると決めたのだ。

さらにトヨタも、中国でつくる車は中国国内のサプライチェーンで流通させるものの、それ以外の地域については中国以外のサプライチェーンで完全に流通させる仕組みをつくり始めている。ホンダも同様である。

パナソニックも、場合によっては中国での事業を全部売り払うかもしれない。

ただし日本企業が中国から撤退すると決断しても、そのやり方はなかなか難しい。というのも日本企業は、中国国内では基本的に合弁での設立しか許されないからだ。合弁だから必ず役員会にも中国共産党の息のかかった人物を少なくとも1人は入れなければならない。となると、会社の撤退や清算では役員全員が合意する必要があるため、中国人の役員が「ノー」と言っている限り撤退も生産もできない。

そこで今まで多くの日本企業が撤退のために実行してきたのは、香港などにある別の会社にただ同然で株を渡して中国から逃げるようなことだった。ここに来て、その余裕すらなくなりつつあるようだ。

キヤノンの撤退のやり方は、正規雇用の社員は雇用したままで新規の雇用を採用しないということだった。となると正規雇用の社員も次々に給料のいい別の会社に移っていったので、会社の規模もどんどん小さくなっていった。そうやって簡単につぶせる規模になったので、つぶすことができたのだ。実際、そういうようなプロセスに入っている日本企業もかなり増えてきている。

なお中国からの撤退でコンシューマー製品を輸出している日本企業は、すぐに動くことができた。それも製品輸出を通じて中国国内の資金を日本などに移動できた会社である。

逆に動けないのが中国国内向け製品を製造している会社だ。資金移動も難しく大量の従業員を抱えているために動くに動けない状態になっている。そういう会社では、中国人社員に社内の業務を任せきりにするのは危険なので、調達、財務、製造管理などは必ず日本人社員に行わせている。

また中国で研究開発を進めている日本企業も、それがハイリスクかつ無駄とわかっていながら破棄して日本に戻ることは難しい。しかも中国輸出管理法の施行によって、中国国内で開発した技術の持ち出しができなくなりつつある。

賠償を避けるには欠かせない契約での不可抗力条項

２０２２年11月末に在中日本大使館はコロナに対する突然のロックダウンを理由にして、中国在住の日本人に対し10日間の食料備蓄を呼びかけ、大使館に非常連絡先を登録するようにも求めた。当然、日本政府の明確な方針であり、中国に滞在するリスクの大きさを示すものでもある。この方針は日本企業にとっても大きな意味を持っている。

滞在リスクの中でもいちばん問題になるのが有事の際の従業員の帰国だ。現実問題として台湾有事が突発した場合、従業員を帰国させるすべはない。邦人保護は最初から無理になる。というのも空路、海路ともに封鎖されることになり、陸路での移動も場所ごとに道路が封鎖されて難しくなるからだ。それはコロナとロックダウンで実証された厳しい現実である。中国の厳しい反日教育で日本人は略奪や強奪の対象にもなり得る。

また企業経営上の大きな問題は、中国から撤退することに伴う損失をどう説明するかである。企業自らの判断に勝手に撤退して特別損失が出た場合、訴訟になったら企業側が負ける可能性が大きい。株主代表訴訟および被害者の遺族からの損害賠償請求等で完敗する。

この撤退が不可抗力であれば、企業は株主からも責任を問われにくい。つまり中国から撤退しようと思っていたとき、日本政府から「撤退しなさい」と言われたら、仕方なく撤退したことになる。役員としても「特別損失は出たが、日本政府の法律に従わなければならず、どうしようもなかった」と言い訳できるため訴えられることはない。その意味で前述したように日本政府が明確な方針を出すことが重要なのだ。反対に日本政府の意向が曖《あい》昧《まい》だと帰りたくても帰れない。

そこで重要なのが企業としては、どんな国際間の契約書にも必ず「不可抗力条項」を入れることだ。それなら不可抗力の場合、日本政府が輸出管理なりの規制の対象としてきちんと認めれば一方的に契約を無効化できる。経営者は「私には責任はない。企業にも責任はない。不可抗力条項を適用する」と言ってバシャンと切れる。

多くの国際間の契約は、どこかの国の法律に合わせて契約を結ぶ必要があるため、7つの海を支配しその基本ルールをつくったイギリスの法律に準拠するものとなっている。実際、保険や海運などのルールはロンドンで決められ、ほぼすべての分野のギルド（企業）がオフショアセンターであるロンドンのシティに本拠地を構えている。

再保険や海運のルールはロイズなどの保険組合が取り仕切っており、イギリス法に基づく不可抗力条項を西側企業もロシア企業もともに利用している。西側企業はロシアからの天然ガス購入契約の破棄に、ロシア企業は天然ガスなどを供給できない理由に使ったわけである。不可抗力条項を利用することによって違約金の支払いを逃れられる。

日本企業にはこの不可抗力条項を入れる習慣が根付いていない。金融保険海運など国際法務に強い企業は当然のようにこれを契約に含めるが、実業系企業、特に中小零細企業はこの習慣に疎《うと》い。特に係争地（訴訟の場所）が海外であった場合、契約の不備を指摘され賠償などを求められるケースも多いのである。

特に中国では企業間紛争の係争地を中国に指定しており、しかもまともな裁判は期待できない。ただし中国での係争でも、契約書に不可抗力条項を入れることで少なくとも国内の投資家等に対する説明はできる。日本政府は企業の海外進出の支援を政府予算の下でジェトロ（日本貿易振興機構）などが行ってきた。

日本という国家としては、中国からの撤退や撤収の窓口をつくり、国家として日本企業の国内回帰をサポートすべきだ。コロナの第1段階では国内製造回帰のサポートを行った。だが予算が十分ではなく、すぐに使い切ってしまった。予算と国際法務とのセットでサポートの仕組みを構築すべきときだろう。

例えば米国の半導体規制による撤退は、不可抗力の側面が大きいため株主から責任を問われにくく経営者としては決断しやすい。そのうえに国のサポートがあれば、日本企業の撤退もスムーズに進むはずである。

第4章

引き起こされる台湾有事

台湾の地方選挙と総統選挙は事情が異なる

地方選挙に民進党が負けて総統候補として有力視され始めた頼清徳

2022年11月に行われた台湾の統一地方選挙で、与党の民進党（民主進歩党）が大敗した。投票があった21県市のうち確保できたのは5首長だった。総統の蔡英文《さいえいぶん》は民進党の党首である主席の引責辞任を表明した。台北市長選挙では野党国民党の若手で蔣介石《しょうかいせき》の曾孫である蔣万安《ばんあん》が勝利した。米国に留学した蔣万安は背も高いし、優男《やさおとこ》でかっこいいから人気がある。しかも中国共産党を批判している。

国民党の人々は内戦で中国共産党に敗れて大陸から台湾に逃げてきたから、反共が国民党のベースにはある。ただし大陸にもともと住んでいて台湾に渡ってきた人々なので望郷の思いは残っている。

台湾で中華民国の初代総統に就任したのが国民党の蔣介石だった。長男の蔣経国《けいこく》も総統となり、その後継者が李登輝《りとうき》だ。今では国民党支持者も大陸べったりという人々だけではなくなっている。しかし大陸は商売になるので、国民党支持者も含めて実利で付き合っている台湾人は多いのである。

国民党は日本が置いていったさまざまな資産を全部没収し、長い間政権を握ってきた。古い自民党の体質とよく似ていて、土木建築業とか土建屋と強く結び付いている。田舎の土木建築などはいまだに国民党が仕切っていて地方に強い支持基盤があるので、特に地方の公共事業で権限を発揮する市町村長や県知事の選挙に強いのだ。

昔の２２８事件（１９４７年2月28日に台湾で起った大陸人支配に対する台湾人の反乱事件）では、中国から渡ってきた国民党員によって文官や教師など多くの人々が殺された。時間が経っても、２２８事件のせいで国民党を嫌っている台湾人は今でも少なくない。

国民党と民進党とのいちばんの違いは、国民党が大陸を含めた中国の正当な統治者であるとの立場をいまだに崩していないのに対し、民進党は大陸と距離を置いていて「台湾は台湾である」と明言していることだ。

２０２０年の総統選挙で大勝した蔡英文は2期目に入っているが、4年前と同じく地方選挙で敗北した。しかしあくまでも地方選挙であって、国政とは別だし外交問題とも関係ない。

民進党は国民党とは違って、もともと地方選挙に弱い。民進党は反国民党の人々の集合体だが、台湾の南部は保守的で、北部はリベラル寄りという特色がある。また民進党には多数の派閥があるが、大きく分けて蔡英文などのグループと南部を中心とした保守色の強い頼清徳《らいせいとく》副総裁のグループだ。この2つの派閥は国政選挙では、これまで手を組むような形で勝ってきた。

次の総統選挙の予備選には蔡英文の推す候補と頼清徳の2人が立つ予定だったが、地方選挙で民進党が勝っていれば頼清徳は予備選で負ける可能性が高くなって次の総統の目はなかったと言われていた。しかし今回、民進党は勝てなかったどころか大敗した。蔡英文が押す候補が予備選で不利になって、頼清徳が有利になったわけだ。民進党が負けたおかげで頼清徳が次の総統候補として非常に有力視され始めた。実際に1月18日には第18代の民進党主席に就任している。

その意味では今回の地方選挙は頼清徳が勝ち残った選挙でもあった。親日派としても有名だから、日本とのパイプがけっこう多い。安倍晋三元首相の国葬にも来日して参列した。日本としては国民党より独立志向の強い民進党のほうが付き合いやすいだろう。その点でも頼清徳は日本に都合のよい総統候補である。

コロナの大不況でも国民を助ける手を何ら打たなかった蔡英文政権

すでに述べたように台湾の地方選挙は国政とは別だし外交問題とも関係ない。ではなぜ民進党は地方選挙に敗北したのか。

ひとつは、今回は蔡英文を中心とする中央が決めた候補者を落下傘で地方選挙に投入したことだ。従来は地方選挙だから地方で予備選挙を行って地方の候補の中から選んできた。しかし落下傘候補だったことによって地方組織が活発に動かなかった。民進党の地方組織の不満は大きかったのである。

もうひとつは蔡英文政権がコロナ禍にもかかわらず、経済面でセイフティーネットなどの対策を何も打たなかったことだ。それが敗北の最大の理由でもある。だから、ひまわり運動（2014年3月18日に台湾の学生と市民らが立法院を占拠した学生運動から始まった社会運動）に参加した民進党支持の若者たちでさえ投票に行かなかった。

台湾はコロナ対策の優等生で、ロックダウンもゼロコロナも成功させた。半面、経済が非常に落ち込んでしまい、街から元気が失われた。

台湾には間口2間ぐらいの入り口の零細飲食店をはじめ、サービス業の小さな店がたくさんある。けれどもゼロコロナ政策では、マスク規制などいろいろな規制をかけたため、

台湾の景気対策信号

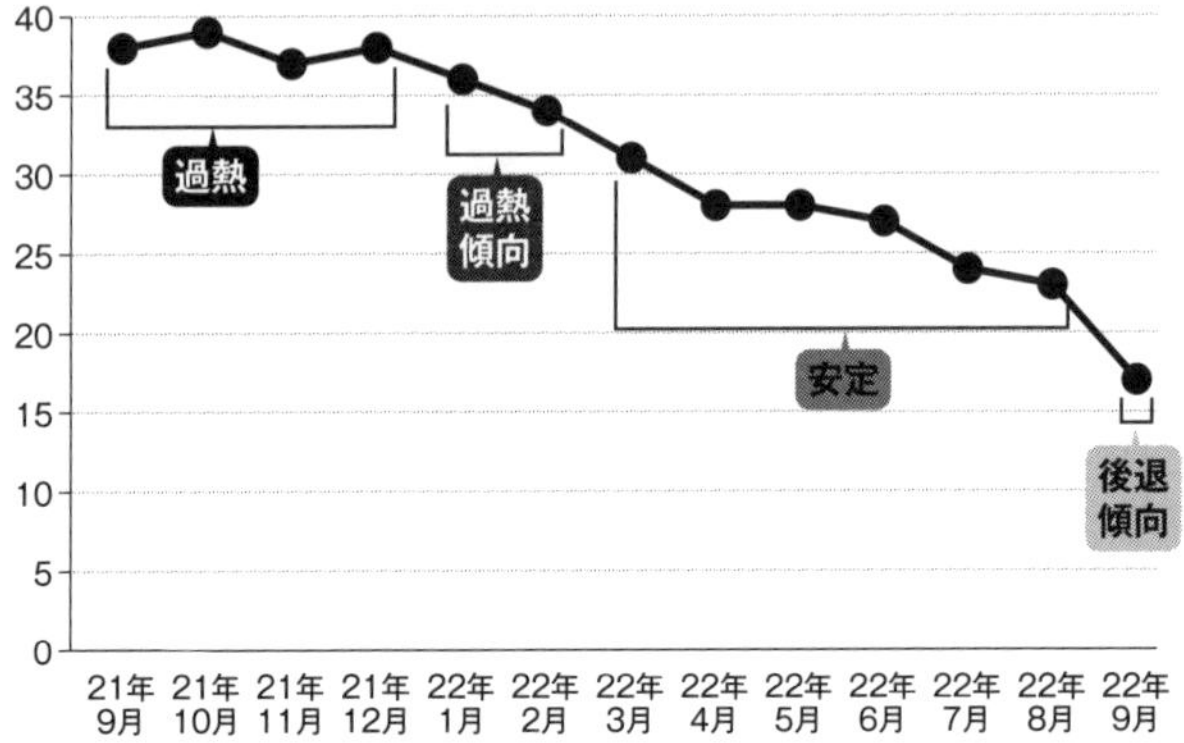

出典：国発会

国民が街場に買い物に出なくなってしまった。もちろんコロナで観光客も来ない。そのため小さな店の2店に1店ぐらいはシャッターを閉めざるを得なくなったのだ。以前は非常に活気のあった細い道に屋台が並んでいるような通りもシャッター通りに変わった。

首都の台北の場合、小さな店が閉まって特に若者たちの仕事がなくなったので地元に帰らざるを得なくなった。台北から約20万人の人が消えたとも言われている。

サービス業の小さな店は壊滅的なダメージを受けたのだが、それでも政府が配ったのは国民1人あたり約6万円のみだった。それも3倍券と言って、1000元出すと3000元分買えるという形での給付である。

さらに企業向けには、大企業でも中小企業でも一律10万元（約45万円）を3年間無利子で融資するだけだった。協力金などなく、それではさすがに持たない。

外側からは台湾は景気がよく見える。GDP（国民総生産）がよいではないか、ゼロコロナに成功しているではないかということだが、TSMCなど半導体輸出と輸出産業が好調なだけだ。内側から見ると、コロナで景気がかなり悪化している。小さな店の関係者たちが思いっきり傷付いているのが現状である。

民進党を支持していたのはサービス業の小さな店の従事者が非常に多かった。そういう人々は蔡英文政権は何もしてくれないと不満を溜めるとともに絶望感に陥ったのだ。ひまわり運動に参加した民進党支持の若者たちも同じ思いだった。地方選挙での大敗につながったのも当然だろう。

2024年1月に予定されている総統選挙までもう1年を切ってしまった。それまでにもう一度を気を引き締めて立て直せるかどうかが民進党に突き付けられている課題だ。課題の解決にうまく成功すれば民進党政権が続くだろうし、国民の不満をこのまま放置すれば、必然的に国民党が有利になるというのは確かである。

付言すると、台湾で強く感じたのは、日本のような協力金制度などがなければ街が死んでいくということだ。街の中小零細の事業者は日銭が止まれば生活できなくなる。廃業や倒産によってシャッター街が生まれて街の活気がなくなっていく。同時に雇用や文化も破壊される。緩和的な政策を取っていた台湾でさえ、そうなっているのが現状だ。

日本では協力金制度、持続化給付金、特別融資、雇用調整助成金といったセイフティーネットで事業者と労働者が守られた。こうした日本型の社会保障制度を持つ国はやはり日本ぐらいで、特に雇用調整助成金のような制度を持つ国は皆無だ。日本型の社会保障制度は終身雇用制度が前提となっている日本の雇用システムから生み出されたものである。

転職が当たり前の欧米ではこのような制度はない。もっとも多くの先進国では、失業給付などにより労働者は守られた。新興国にはそのような制度はない。自ら生きていくしかなく、その現実は非常に厳しい。

民進党はPR会社を入れたダブル選挙で予想外の圧勝を引き寄せた

次の台湾の総統選挙を占う意味でも、蔡英文が最初に臨んだ総統選挙での戦い方について述べておこう。そのときの2016年1月16日の総統選挙で次点だった国民党の朱立倫《しゅりつりん》の倍近い700万票に迫る得票で圧勝した。

総統選挙と立法院を構成する立法委員選挙は投票日が同じダブル選挙だ。日本で言うと、立法院は国会、立法委員は国会議員にあたる。

ダブル選挙なので総統選挙には、立法委員選挙の動向も大きな影響を与えるとされる。この立法委員選挙に候補者を立てた主な政党は、民進党と国民党のほか時代力量、親民党だった。

選挙期間中の情勢調査によれば、いずれも僅差で総統選挙では蔡英文が勝ち、立法委員選挙では民進党が勝つという予測が出ていた。僅差になるのは、若い候補者を揃えた時代力量が第3極としてかなり多くの票を取るため、蔡英文と民進党は大勝できないと見られていたからだ。

この総統選挙の2年前の2014年に、ひまわり運動と雨傘運動（香港で2014年9月28日から79日間続いた民主化要求デモ）が起こった。どちらも若者が中心となった運動で、その余韻《よいん》は2016年になってもまだ強く残っていた。

したがって大半の選挙関係者も、2つの運動の余韻で若い候補者ばかりの時代力量が大きな支持を得て票を伸ばすだろう、半面、民進党や国民党の票は頭打ちとなり、その影響で蔡英文が総統選挙に勝つとしても僅差になるだろうと予測したのだ。この見方が情勢調査にも反映されたわけである。

ところが実際の結果では、蔡英文が圧勝したばかりか、民進党も第2党となった国民党（35議席）のやはり倍近い68議席を獲得した。蔡英文と民進党が勝つという予測はあたったものの、圧勝だったのはまったく予想外のことだ。情勢調査の予測も大きくひっくり返ってしまった。

では予想外の結果となったのはなぜか。それは民進党が総統選挙にＰＲ会社を入れたからである。

民進党へと票を引き付けたのがまさにＰＲ会社だった。しかも票が大きく動いたのは投票日の前夜から投票日にかけてである。その動きを投票日前日までに出る情勢調査でつかめるはずがない。

ＰＲ会社は、投票日の前夜か投票日にかけて台湾のテレビの全局で民進党への支持を呼びかける映像を流し続けた。それは民進党への投票を連呼するような映像ではない。次のようなものだ。

韓国でアイドル修業をして中国で売り出そうとしていた、とても可愛い少女がたまたま台湾国旗（青天白日旗）を振ったせいで中国当局にとがめられ、中国国内に入れなくなってしまった。それで少女は、アルカイダが処刑に使うような薄暗い部屋のブルーのパイプ椅子に座って、「ごめんなさい、ごめんなさい」と何度も謝るのだった。

　このシーンは台湾人の心情そのものを表していて、彼らの心に非常に強い印象を植え付けた。すなわち中国に頭を下げて、そんなに卑屈になるのは嫌だけれども、中国とビジネスをしないと生活していけない自分たちがいるということなのである。

　この映像によって民進党は、台湾人の心情を十分に汲《く》み取って、うまく政治に活かしていくという決意を国民に伝えたのだ。

　こうして前日までの予測よりも10ポイント以上も多い得票で、民進党および蔡英文が圧勝した。一方、時代力量は５議席にとどまった。時代力量に投票するのではないかと思われていた若者たちが雪崩を打って民進党に流れたのだ。時代力量の若い候補者たちは、それに対抗することができなかった。

　２０１６年よりも以前の選挙において民進党はお金がないため、いわゆる手づくり選挙をやっていた。しかし２０１６年のダブル選挙で初めて民進党はＰＲ会社を入れたのである。

　民進党のイメージカラーはグリーンなのだが、２０１６年のダブル選挙で使われた同じグリーンでも淡い安心色のグリーンに変わった。そのほかの色も従来とはすべて変わったのだ。

台湾では選挙日前夜にコンサートのような大騒ぎの集会を行うのだが、それも音響、照明、舞台装置、色合いまでのすべてをプロがコントロールした。

次の2020年のダブル選挙では、前回の選挙のグリーンに蔡英文が女性なので女性色のピンクが追加された。このグリーンとピンクは病院の待合室の椅や壁の色だから、人間を精神的に落ち着かせる。国民党のイメージカラーがブルーなので、あえてグリーンとピンクで対抗するという意図もあった。

だから2020年のダブル選挙でも総統選挙、立法院選挙ともに民進党が大勝したのだった。

台湾に武力侵攻しなければならない習近平

中国による台湾併合後の統治のプロセスはどう展開するのか？

ここであえて台湾が中国に併合されてしまったときのことを考えておこう。台湾が中国

中国軍の戦力と台湾軍の比較

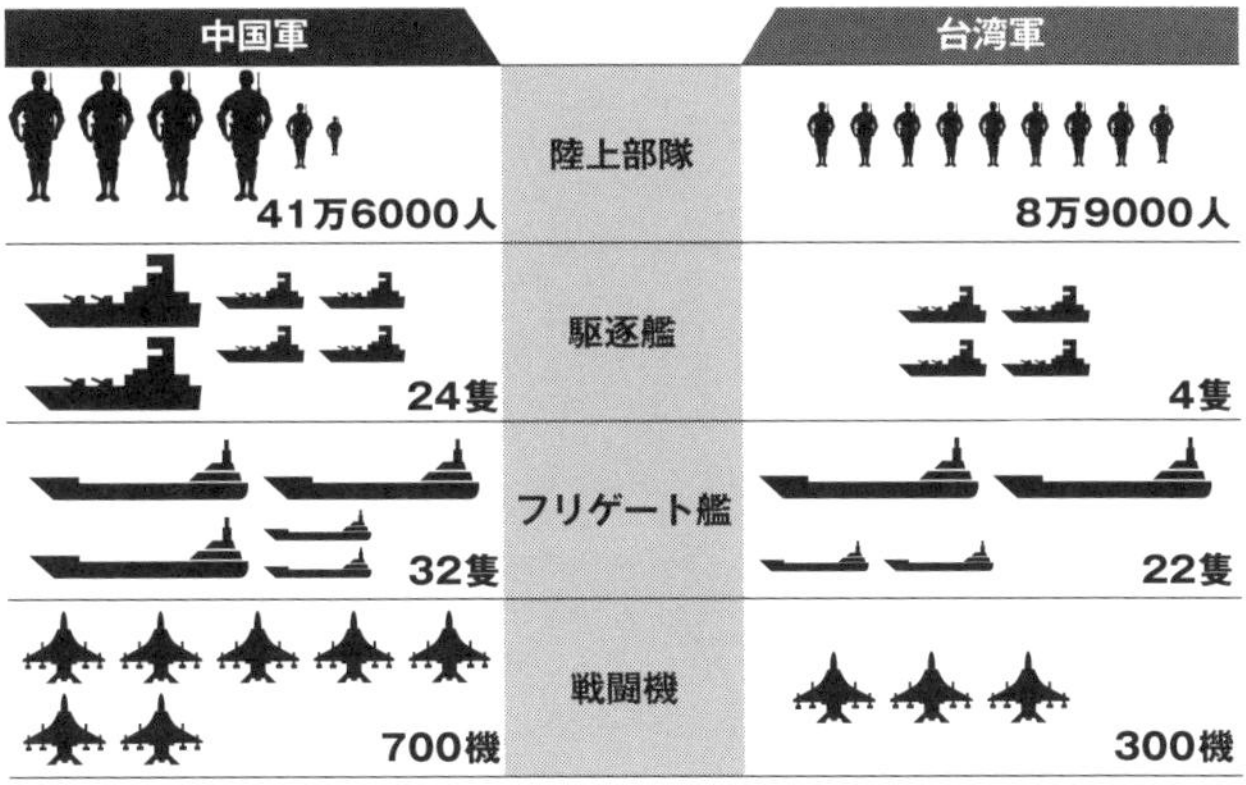

中国軍		**台湾軍**
41万6000人	陸上部隊	8万9000人
24隻	駆逐艦	4隻
32隻	フリゲート艦	22隻
700機	戦闘機	300機

（注）中国軍の規模は台湾海峡周辺に限定
出所：中国の軍事力に関する米国防総省の年次報告書

に併合されて、いちばん損失を受けるのは台湾の国民と台湾政府である。国家が消滅することになり政党も消滅する。国民党は中国共産党と対立してきたわけだが、それ以前にそもそも一党独裁の中国では他の政党を認めていない。

もともと一国二制度は、中国が台湾併合に向けた仕組みとして考えたものだ。それでたとえ中国がこの建前で台湾を併合したとしても、香港を見ても明らかなように併合すれば政治的分離はなくしてしまう。

併合後に最優先で消滅させるのは抵抗勢力であり、その最初となるのが台湾軍だ。将来のリスクを避けるため、台湾の軍人は粛清されるか本土に移送され、人民解放軍が今の台湾軍基地を占拠する。台湾国内で反対分子を抑え込むには、武力を背景とした治安組織が必要だ。

習近平にとって「長年にわたり自由と民主主義を享受してきた台湾人すべて」が脅威なのである。しかもそれは陸つながりの香港の民主化勢力以上の脅威であり、台湾人を排除できなければ台湾の安定統治も望めない。11億人の中国にとって台湾の2300万人は誤差の範囲に過ぎない。守るべきは本土であり、中国共産党の安定統治なのだ。台湾では台湾人の人権は失われ、自由なき世界に突入する。また、大陸から大量の低賃金労働者を送り込むだろう。

台湾の大陸とのビジネスや縁故は、独立国家台湾が存在するから成立してきた。大陸の一部となった台湾は、中国の国有資産の一部へと変化する。

アリババなどを見ればわかるように、必要に応じて台湾企業は中国共産党の接収対象になる。中国に進出した多くの台湾企業の末路がそれを証明するはずだ。大陸ビジネスは台湾という独立国家があるからこそ成立するのである。

しかしそこには「対中融和派の大きな勘違い」も存在する。中国共産党への協力は、台湾人の自己利益や将来につながるのかと言うと、そうではない。中国共産党にとって最優先なのは本土の共産党員であり、台湾の協力者は利用価値がなくなれば不要となる。台湾が台湾でなくなった時点で邪魔な存在と化すわけだ。排除の方法としては、汚職などの犯罪を口実に取り締まればよい。

その台湾の協力者にとって米国など西側に逃げるという選択は、中国共産党に協力していたことが汚点となって難しくなるだろう。米国など他国に逃がした資産も凍結される可能性が高い。その実例がロシアのオリガルヒ（１９９０年代以降に急速に蓄財したソ連の富裕層）である。

どの国の人間でも中国共産党への協力は自らの将来の破滅を招く

米国では対中姿勢強硬派がさらに力を持つ形となる下院の共和党支配が始まった。一方、習近平体制も3期目に入って台湾問題、南シナ海問題、尖閣問題などでの対立は一段と激化していくに違いない。２０２３年は新冷戦の深化する年になる恐れがあって、中国による台湾併合にも現実味が増してくる。

そこで西側諸国は、台湾を守るという意思を示そうとしている。そのひとつが、米国の台湾での拠点の名称を「台北経済文化代表処」から「台湾代表処」へと変えることだ。台湾代表処だと台湾の米国大使館になる。とすれば、米国にとって台湾も価値観を共有する守るべき国・地域とされるわけで、米国が台湾をいつ国家として承認してもおかしくない。同時に台湾と安保条約も締結するだろう。イギリスも同様の行動をするはずだ。

もうひとつが台湾が一方的一時的に準州申請して、プエルトリコのような米国の準州になってしまうこと。これは大胆かつ決定的な方法だ。それで米国の領土となると当然、米軍も駐留するし、米国連邦法の適用対象にもなる。つまり、台湾が準州として高度な自治を維持したまま米国連邦に加わるのである。

現在、米国は中国共産党の党員リストと組織構成図の作成を進めている。これは米国議会が決めたものであり、将来の公表が前提だ。だが台湾有事や中国と他国との戦争などが起これば、そのときは即座に公開されると考えられる。

米国とノービザ渡航が認められている国はＰＣＳＣ（重大犯罪防止対処）協定を結び、指紋や顔認証などを含む生体認証を個人と結び付け、出入国管理で情報を共有している。となると中国から身分を偽って国外に逃亡するのも難しい。

米国はＦＡＴＦ（金融活動作業部会）やコルレス口座（海外送金における通貨の中継地点となる銀行）のデータを通じて国際的な資金の流れを把握しており、お金の流れから人のつ

台湾に進出する主要国別の企業数（9月時点）

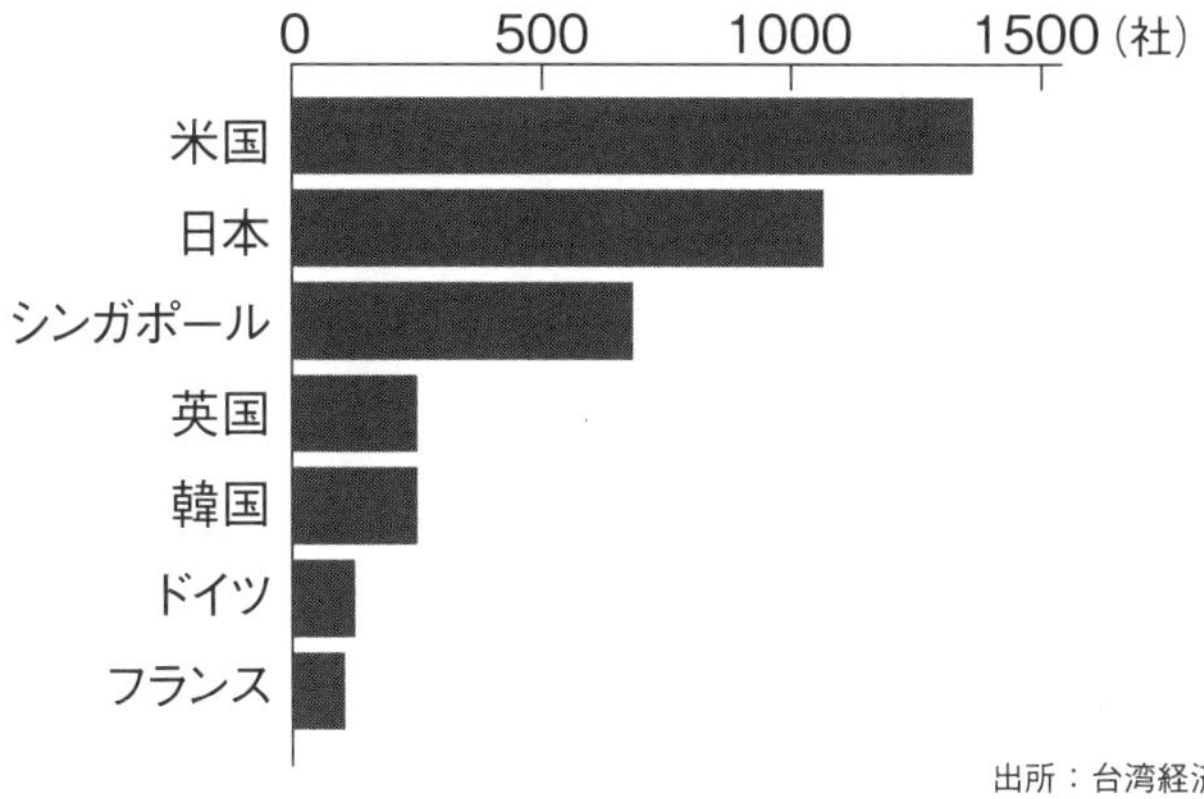

出所：台湾経済部

ながりを把握している。公開されている民間データベースでもここまで把握できるとすれば、米国政府はそれ以上のデータも保有し自動解析も進めているだろう。

現在、台湾のＦＯＸＣＯＮＮ（鴻海精密工業）が台湾政府に隠れる形で違法に中国の経営破綻した半導体企業・紫光集団に投資していたことが大きな問題となっている。

この件に関しても米国情報当局はあらかじめ掌握していて、米国の半導体規制に合わせる形で公表したものと考えられる。だからビジネスのためであっても台湾人が中国共産党に協力することは、自らの将来の破滅を招く可能性が高い。リスクヘッジのためには台湾人も現在の立ち位置を見直さなければならない。この点は日本人も同様である。

太平洋進出を図る中国をくじく力となるクアッドとオーカス

中国の国際戦略において中国が太平洋の真ん中で米中のテリトリーを分けて世界を二分するためには、逆さ地図で日本列島から連なる第一列島線が大いなる妨害となる。しかしすでに中国は第二列島線である南太平洋諸国や島嶼《とうしょ》国にも手を伸ばしているため、これに世界各国は強く反発している。だから本来、海洋戦略としては中国もそうした反発を抑え込んでいくべきなのだが、習近平政権はむしろ反発をあおっているように見える。

中国漁船による他国の領海内での勝手な漁猟もそうだ。これは目下、世界中で大きな問題になりつつある。漁船には海のどの場所に今いるかがわかるようにビーコンを積んでいるのに、中国漁船はビーコンを止めて他国の領海に入って漁猟をしている。

といってほとんどの島嶼国には、それを阻止できる艦船の組織がない。日本で言うと国土交通省の海上保安庁がないので中国漁船を追い出せないのだ。それで日本は中国漁船に困っている島嶼国に対して、護衛艦を提供するとともに海保のリーダーとなれる800人の人材を育成するという作業を始めている。日本は島嶼国の警察力を拡大する支援を行っているのだ。

しかし島嶼国の中には、中国のお金で完全に汚職状態となっている国もある。そういう国に対しては中国のお金による汚職体質から抜け出せるように、日本も資金面や法整備面などさまざまな面で協力していかなければならないだろう。

インド太平洋では日本、米国、オーストラリア、インドの４ヵ国で安全保障や経済を協議する枠組みのクアッドと、米国、オーストラリア、イギリスの３ヵ国による軍事同盟のオーカスが発足した。日本以外はもともと大英連邦の国々だ。

クアッドとオーカスは太平洋進出を図る中国をくじく力となる。対中国で実効性を発揮するように日本にもクアッドとオーカスをきちんと機能させていく努力が求められる。

人民解放軍が強いのは陸軍だけで得意な戦法は人海戦術しかない

中国がウクライナからおんぼろ船を買ってきて空母にした遼寧《りょうねい》は、滑走路が短いうえに艦上機を飛ばすのにカタパルトではなくジャンプ台を用いている。そのため、艦上機が最大積載量の燃料を積むと離陸できない。さらに最大積載量の燃料とミサイルを積むと飛び上がれずに海に落ちてしまう。

時代遅れの骨董船遼寧

　また空母だけでは巨大な標的だから、海に浮かぶ棺桶《かんおけ》になってしまいかねない。それを防ぐには空母の周りに安定した護衛艦、駆逐艦、潜水艦部隊を揃える必要がある。これは空母打撃群と呼ばれる。

　潜水艦の場合、潜水している場所を知られないためには、やはりスクリューの音を敵に察知されてはいけない。そのため潜水艦では音を出さないスクリュー技術は非常に重要で、どの国でも軍事機密になっている。ところが中国の潜水艦のスクリューは、非常にうるさい。中国の潜水艦はどこに潜っているかが周りの船にわかってしまうのだ。

　要するに、中国がいくら空母を持ったところで潜水艦システムをはじめ他の艦船が空母に見合うだけの能力を発揮しないと軍事的には意味がない。中国の海軍力は確かに大きくなってきてはいるものの、実質的な能力はまだ米軍にかなり劣っている。

中国は大陸国家なので人民解放軍が強いのは陸軍だけだ。しかも得意な戦法は人海戦術しかない。つまり兵士の数に物を言わせて、何千何万人が死のうと突撃を繰り返す戦法だ。そもそも本来なら海に出て行こうとするのが間違いだろう。

それでも海で中国が唯一勝てるとすれば、やはり人海戦術で武装漁船を用いて大量の兵士を上陸させるパターンしかない。台湾軍もそれを恐れているから、ガトリングガンのように短距離、中距離、長距離のミサイルを同時に連射できるシステムを導入しつつある。

「独裁者の狂気は合理性を上回る」と習近平にも言えるのか

日本は韓国との間で竹島問題を抱えている。日本は韓国に「竹島を返せ」と主張しているけれども、一般の日本人の大半は戦争をしてまで取り戻そうという気はないだろう。

習近平政権は東シナ海などで危険な火遊びを続けているが、それを軍部や国民は当然だと思っているのかどうか。おそらく貧困に耐えてまで付き合うつもりはないのではないか。貧困の原因にはならないから許容しているのだ。

中国は広いから省都だけでもひとつの国家の規模がある。中国の国民から見たら、実は小さな台湾などどうでもいいのかもしれない。中国の国民は香港に対しても意外に関心がない。台湾についても併合して何が得られるかというときに、中国の国民の多くはそれほど得はしないと考えていると思う。

台湾侵攻に踏み切らない理由を上げると、まず軍事行動には莫大なコストがかかるから国内経済が大きな打撃を受ける。ただでさえ今の中国の経済は落ち込んでいるのに、台湾侵攻をすると中国経済は完全に崩壊する。

次に中国共産党の幹部が個人資産を全部失ってしまう恐れがある。

中国共産党の特に高級幹部（特権階級）の多くは子弟を海外に留学させ、海外で資産を蓄財している。世界一の格差大国の中国には、本来の共産主義の理想は存在しない。彼らは実利主義と現世利益の享受を目的として共産主義の仕組みを利用しているだけである。だから万が一、中国が台湾有事を起こした場合、彼らが海外で蓄財している資金は、ロシアのオリガルヒと同様にすべて凍結、あるいは没収される可能性が高い。そのように、これまで蓄えてきた自分たちの資金が習近平1人のせいですべて奪われるのを中国共産党の高級幹部は黙って許すだろうか。

台湾侵攻、さらには世界支配の夢は、ほぼすべての中国共産党員の利害と対立している。現状では、これがたぶん台湾侵攻の最大の抑止力になっているのかもしれない。

さらに長年、一人っ子政策を続けてきたために中国ではロシア以上に子供の価値が高いということだ。とすれば、「戦争に行って死んでこい」と言われて賛同する親がどれほどいるのか。しかも中国の人口構成は逆ピラミッドになっており、少子高齢化によるゆがみも著しい。その点からすると、人口ピラミッドの構造がきれいなインドや、子供たちが多いベトナム（ベトナムは国全体が小さいけれども）などにも戦争で勝てないだろう。以上、合理的に考えれば、中国経済の完全崩壊を招いてまで台湾を武力統一する価値はない。

ところが政治戦略においては、台湾を絶対に併合しなければならないのである。独裁者の狂気は合理的選択を上回る場合があるということだ。プーチンのウクライナ侵攻もそうだった。逆に言えば、合理的ではないことをやるのが独裁者の狂気だ。

ただし、ロシアと違って中国の弱みは、エネルギーと食糧を他国に依存していることである。特に石油の備蓄も心許ない。中国は台湾を３日くらいで落とす必要があるが、それが無理なら人民解放軍と台湾軍との戦いは、ウクライナ戦争と同じような膠着《こうちゃく》状態になるだろう。

習近平が台湾有事を起こした後にどの程度の期間、指導力を維持できるかもまったく不明だ。しかしすでに虎狩りによって強い政敵をすべて滅ぼしている。その存命中にはそれなりに権力を維持した後、没後に中国が政治的大混乱に陥ると想定したほうがむしろ現実的なのかもしれない。

台湾有事への日本の対応

日本が台湾を助けるのは台湾のためというより自国のため

今回の地方選挙を取材するために台湾を訪問した際、行く場所行く場所で現地の経済界関係者をはじめ多くの人々から同じ質問が投げかけられた。まずそれは「台湾有事の際に日本は台湾を助けてくれるのか」だった。

これに私は「そもそも私は政府関係者ではない」と断ったうえで、「日本が台湾を助けることはない。だが日本自身のために台湾を助けることはある。つまり日本にとって台湾は生命線なので、日本のために米国と連携して台湾を助ける、というのは日米安全保障条約に基づくものでもある」と答える。

するとその次に来る質問もやはり同じで、「日本は憲法９条があるのに戦争ができるのか」である。台湾でも憲法９条は有名なのだ。私の答えは「憲法９条にうたわれている戦争放棄はあくまでも他国への侵略あるいは自発的先制攻撃を禁止したものに過ぎない。自衛のための戦いは放棄していない。国家なくして憲法なし。国家の責務として国民の生命安全財産を守ることが最優先される」というものである。

ここまでの私の答えに、質問した台湾の人々のほとんどは納得してくれる。だから以下については台湾の人々に話すことはあまりないのだが、理解を深めるためにここで紹介しておこう。

今の日本の憲法では日本が中国に侵略されたときにはまったく役に立たないので、最高裁判所も過去の自衛隊違憲訴訟等では「国家の高度な政治的判断は司法の判断に属さない」という判断を示している。つまり国家の高度な政治的判断は、司法の判断の範囲外だということだ。これは国際法上の統治行為論と呼ばれていて、統治行為論によれば憲法の無効化ができるのである。

だから「国が存続できないかもしれない」と判断した場合、政府は統治行為論によって武力発動ができる。しかし武力発動の要件が曖昧だったため、安倍政権のときの2016年に施行された「平和安全法制」で設けられた国家存立危機事態で曖昧さを乗り越えたのだ。国家存立危機事態になれば、日本の首相は自衛隊に対して出動命令が出せることになった。

さらに、中山泰秀防衛副大臣（当時）は2021年6月に行った米国のシンクタンクであるハドソン研究所の講演で、「中国とロシアの連携による脅威が増しているとしたうえで、中国による台湾への圧力に対し『目を覚まし』、民主主義国家として台湾を守る必要がある」という考えを示した。

加えて、「日本や米国を含め多くの国々が1970年代以降に『一つの中国政策』に従ってきたのが正しい判断だったかわからない。民主主義国家は互いに守り合わねばならず、私たちは民主主義国家としての台湾を守る必要がある。台湾有事が発生した場合、米軍が駐留する沖縄への影響は避けられない。宇宙やミサイル技術、サイバー領域、核・通常戦力において中国の脅威が高まっているので、私たちは目を覚まさなければならない」とも述べたのだった。

その後、この中山発言を麻生太郎副首相と岸信夫防衛相がそれぞれを国会等で追認する発言をした。つまり法的に台湾有事は、国家存立危機事態であるというのが政府見解なのである。

日本政府も非核三原則を改訂して核保有の実態を明示すべき

台湾と沖縄の距離は６００キロぐらいしかないので、台湾有事の際には日本の領海が戦闘地域になる。もし台湾を取られた場合には沖縄の制空権と制海権も失われてしまって、沖縄が直接的な脅威になる。しかもそこは中東から石油などを運ぶシーレーンなので日本の生命線である。これらが台湾有事は国家存立危機事態だという政府見解の理由だ。

安倍元首相も２０２１年12月１日、日米台のシンクタンクが台湾で共催したシンポジウムに日本からオンラインで参加し、中国が軍事費を拡大させ、台湾への圧力を強めていることに強い懸念を示したうえで、「台湾有事は日本有事であり、日米同盟の有事でもある。この点の認識を習近平国家主席は、断じて見誤るべきではない」と述べた。

安倍元首相が主張するように台湾有事は日本有事だ。自衛隊の出動要件が整い、首相が判断すれば自衛隊が出動する。そのときには日米安保条約により、日米が連携して事態にあたることになる。ただし日本の役割は基本的に米軍の後方支援であり、防衛や補給を中心とした活動に専念する。

ここで非核三原則（核を持たず、つくらず、持ち込ませず）にも言及しておこう。これはあくまでも国会決議に基づく閣議決定である。だから新たな閣議決定で上書き（無効化）できる。首相が決断すれば、いつでも非核三原則の改訂や取り下げができる。

現状では建前上の米軍潜水艦の無害航行のために特定海域が空けてある。無害航行を満たすには、潜水艦が他国の領海を航行するときには浮上し、所属国の国旗を掲げて航行しなければならない。これは国際法を遵守するためだ。

米軍潜水艦も日本の領海では無害航行をしている。だが、これは日本政府にとっては国際法の遵守というだけでなく米軍への配慮でもある。それで日本政府は米軍潜水艦に核が搭載されているかどうかは知らないという建前を維持できるのだ。

実際には米国潜水艦には核が搭載されているので、もし核の持ち込みを明確に禁じたなら、米軍潜水艦は核を降ろして日本に寄港しなければならなくなる。しかし日本に寄港するために核を降ろす米国潜水艦はない。日米安保条約による米国の核の傘によって日本が守られている以上、たとえ非核三原則によって核の持ち込みを禁じていたとしても、それは現実的ではないからだ。だから米軍潜水艦は日本の領海で無害航行をすることで、日本政府も核の搭載については何もふれないようにしているのである。

もし閣議決定で非核三原則を改定して「持ち込ませず」だけを削除すれば、米軍潜水艦に核が搭載されていると公言してもかまわなくなる。そればかりか、「日本に来る米軍潜水艦は核を持っている」とも言えるので、これによって日本が米国の核の傘に入っていることを国際社会に明示できるのである。

安倍元首相も核シェアリングに言及していた。これは米軍が核を持ち込むことによって間接的に日本が核を保有していることを国際社会に明言すべきだということだ。現実にもすでに核シェアリングが行われているわけだから、日本政府も非核三原則を改訂して核保有の実態を明示すべきだろう。

中国に対抗するための日本外交

政治家が中国と付き合うのはイデオロギーではなくお金のため

日本の政治では安倍元首相が暗殺されてから変わってきた。引っ張る人がいないため、方針が決まらなくなり、バラバラになってきている。しかし日本の政治家は米国に従わなくてはいけないのはわかっているので、結局、日本が主導権を取れない形で米国従属の形で動いていくのが安倍元首相亡き後の日本の外交という感じになっている。

ただし岸田首相自身は評価されないだけで、やることはやっている。軍事費を43兆円にすることを決めて、憲法改正もやると言い、日米共同声明も出した。中国に対しても菅義偉前首相よりも強固な姿勢を取っている。

それで中国としては、安倍元首相ほどではないとしても岸田首相も目の上のたんこぶになりつつある。中国の思い通りに何ひとつ進んでないし、日本との関係も少しもよくなっていない。岸田首相はけっこうしぶとい。麻生氏のような党内の重鎮も「岸田首相は簡単にはつぶれない。性格がイヤらしいから」と評価している。

中国にとって邪魔であるため、親中の日本のメディアなども岸田首相を叩くということがあるのではないか。だから岸田政権はけっして親中派ではない。

岸田首相が会長である宏池会は第5派閥なので、派閥としてはけっして大きくはない。これまで宏池会に対しては議員ではない古賀誠氏の影響力はすごく強く、古賀氏がずっと仕切ってきた側面がある。だから宏池会には古賀氏を信奉する人々が多い。

かつて岸田氏が麻生氏に「首相になりたい」と言ったとき、安倍元首相とともに3条件を出した。すなわち古賀氏を切ること、憲法を改正すること、麻生派が上になる形で宏池会を飲み込むことだ。

岸田氏は菅氏と争った2020年の総裁選で負けた後に古賀氏を切った。そのため、岸田首相と古賀氏との関係はあまりよくない。

岸田首相は宏池会が割れると、首相の座を保つのが難しくなってしまう。宏池会のナンバー2で古賀氏の後ろ盾も受けている林芳正外相に造反されてしまうと、自派閥をコントロールできなくなるため、外相という要職を与えたと言われている。これには、岸田首相には安倍元首相を失ったがゆえに後ろ盾になる人が限りなく少なく、ただでさえ支持基盤が弱いので何とか自派閥をまとめたいと林外相を身近なところに置いているという見方もある。ともあれ岸田首相と林外相の関係は良好だ。

一方、岸田首相に対しては菅前首相が、首相でありながら派閥の会長にとどまるべきではないと批判している。従来の自民党では、派閥の領袖は首相（党総裁）になれば会長を辞するのが暗黙の慣例だったからだ。これに岸田首相が動じる気配はいっさいない。

林外相について言えば、親中派とされているので米国政府から完全に嫌われている。米国とのパイプは外務省北米局のメンバーが担っており、林外相はお飾りの大臣になってしまっている。

しかし今は日米連携の仕組みの構築と非常時に直ちに話し合いができるパイプの維持が求められているという非常に難しい局面だ。林外相がそれに失敗すれば、もう完全に将来の首相の目はつぶれる。だから外相に据えていることで自派閥のライバルが消えると想定しているとすれば、岸田首相はかなりの策士だろう。

もっとも今の日本には親中派と言われるほど親中派が大勢いるかと言うと、そうでもない。ハニートラップに引っかかっていない限り、中国とはやはりビジネス上での付き合いに過ぎない。中国は非常に広い領土を持つ国だけにビジネスするメリットも大きいと思われているのだ。国会議員だけでなく国民にもイデオロギー的な親中派として中国と付き合っている人はほとんどいないと思う。

親中派と言われている自民党の大物議員の二階俊博氏も、商売になるから中国と付き合うと言っている。中国と仲良くするのが目的ではなく、お金を得ることが目的だ。二階氏はお金が得られればどの国とも仲良くする。

自民党の議員は必ず、外交においては「日米安保を基軸とする」という前提を必ず付ける。中国に何か弱みを握られていない限り、日米安保を捨ててまで中国と仲良くしようなどという愚かな自民党議員はいない。

米国メディアからも褒められた画期的な防衛3文書の閣議決定

政府は2022年12月16日に国家安全保障戦略など新たな防衛3文書を閣議決定した。相手のミサイル発射拠点を叩く「反撃能力」を保有し、防衛費をGDP比で2%に倍増する方針を打ち出したのである。国際情勢はウクライナ侵攻や台湾有事のリスクで急変したから、戦後の安保政策を転換して自立した防衛体制を構築するということだ。米国との統合抑止で東アジアの脅威への対応力も高める。

あくまでも基本的には日米安保条約によって、日米が連携して有事にあたることになっている。日本は米軍の後方支援を中心とした活動となる。

ウォールストリート・ジャーナルなどの米国メディアも、軍事費を2倍に引き上げると表明したこともあって、「今までできなかったことをよくやった」と書いて、「日本が覚醒した」などと岸田政権を褒《ほ》め上げている。今まで何もしない弱虫だったと思われていた日本が、岸田政権になって変わり始めたということだ。

NATOも2023年9月に中国台湾への脅威に対して専門の初会合を行うことも決まっている。トマホークの購入も決めた。敵基地攻撃能力・反撃能力はトマホークによって敵の基地をつぶすということである。

日本独自のミサイルの開発には時間がかかるので、それまでの間は米国からの武器購入で補う。自民党の部会などでも「戦争のあり方が変わった」として、単純に従来型の装備を拡充することが正しいのかどうかという議論も始まっている。

無力化兵器やドローンなどの国内開発もしっかりと進めていかなくてはいけないと思う。無力化兵器とはアニメに出てくる一種のバリアみたいなものだ。ミサイルが入ってくると電磁パルスによって破壊され、爆発せずにそのまま落ちてしまう。

ドローンはウクライナ戦争でもたくさん使われている。ウクライナ軍はスターリンクという衛星通信システムを使えるようになって、ドローンによる攻撃を効率的に行えるようになった。ドローンは高速の衛星通信さえ持てれば、どこにいても操縦できる。

だから日本もこの高速の通信衛星システムについてもどのように構築するか、これから検討していくべきである。

防衛拡大に必要な予算をどのような方法で確保するのか

防衛費をめぐっては突如、増税議論が提起されたため、大きな問題となった。本来、税制は自民党の税制調査会で議論すべきものであり、政府が先に決めるものではない。党で議論した税制を最終的に国会で決めるのである。大型増税では、選挙で国民の審判を問うべきという原則論を破るものだから、党内からも強い不満が噴出した。

増税については結果的に党の税調は２０２４年以降という判断となった。財務省としては期日を確定できなかった時点で敗北だし、自民党の萩生田光一政調会長などが歳出の見直しを含む財源の多様化など議論をすると述べている。

財源問題では短期的には５ヵ年の財源は何とか捻出できるだろう。その後の永続的な防衛費拡大には安定財源が必要となる。そこで問題になるのが財源についての基本的な考え方だ。MMT（現代貨幣理論）や無限財源論はすでに破綻しており、国債発行の余地も小さくなっている。

MMTの成立要件は「極端なインフレにならない限り」であり、大幅な量的緩和はコロナによる消費の減退があって成立するかのように見えただけである。コロナ規制の緩和と連動して資源インフレが発生し、今や利上げとテーパリング（量的緩和による資産買い入れの縮小）が迫られているわけだ。特に資源価格に影響を与える米国の利上げと原油価格の反比例がそれを後押ししている。

また、2000年前後の金融ビッグバンによって、円は国際通貨の一部となり、ドルの量と金利の相対評価により価値が決まるようになった。このため金利差が拡大したことで円が安くなり、円安が輸入物価とエネルギー価格上昇に大きな影響を与えている。

ただし日本の場合、長期のデフレで鍛えられ、長期調達が多いため、それが即座に消費者物価に反映されていないに過ぎない。企業物価は21ヵ月連続の上昇であり、9%代の高い上昇を示している。このため、しばらくは消費者物価が高い水準で上がり続けることが予測される。

一方、米国の利上げ速度の減退と欧米の景気後退予測が強まっているため、金利とリスクの見直しが発生し、円高方向に進むという予測も出ている。リスクが高まって円が買われる基調に戻り始めているわけだ。だから２０２３年以降は外為特会等の運用益は期待できない代わりに、利上げとテーパリング圧力は低下すると考えられる。

防衛費問題に関しては、すでに決定した防衛設備国債（公債）の発行を行い、日銀などに買い取らせて短期の国債と入れ替えるという方策が可能である。

公債は50年、60年という長期の償還が可能な住宅ローンのようなものだ。そのため国の債務から除外（オフバランス化）できる。国債は10年物が中心で、特定の資産の裏付けがないカードローンのようなものだ。公債と国債にはそうした違いがある。

したがって公債の発行は、借入資金の長期化と国のバランスシート改善に役立ち、金融的にも安定させることができる。

本来はそうした議論をしっかり行ったうえで、足りない場合に増税などを模索すべきだ。そのために財政調査会もある。このプロセスが欠落していると多くの議員も批判している。

一方で、単純化された無限財源論などが正しい議論を阻害してしまっているのも大きな問題だろう。

防衛費拡大に関しては財源が必要なのは当然の話だ。それをどのように捻出するかという議論が必要で、今ある予算の手直しを含めた無駄や優先順位の低いものを廃止しなければならない。だが予算編成においては省庁の壁がある。庁が権益を守るための前年度予算をベースにしたシーリング（概算要求基準）が大きな障害になっている。前年ベースという日本の官僚制度の問題には前例主義という考え方にある。

それらを調整して総合的な予算再編をする委員会が予算委員会なのに、本来の機能を果たしていない。

日本には分野別に16の委員会がある。各委員会は各省庁にひも付けられ、それぞれの所轄大臣とともにそれぞれの分野の限られた議論しかできない。対して予算委員会はすべての省庁に関係するので、全閣僚が出席して省庁をまたぐ議論ができる場だ。ところが、それが単なるスキャンダル追及の場と化している。これでは総合的な予算の最適化はできない。

さらに問題は国民の多くがこの本質的問題を理解していないことである。結果的に財務省の予算権限を大きくしている。安倍元首相は官邸主導という形で優先順位を付けた総合的な改革に取り組もうとしたものの、各省庁の抵抗が大きく道半ばで終わってしまった。

もはや時代は改革の停滞を許さなくなってきている。

日本には米国の制裁に協力する以外の選択はない

２０２３年1月13日の日米首脳会談は予定通り共同声明が出されて無事に終わった。岸田首相の欧米歴訪は安倍元首相、麻生元首相、谷内正太郎元外務事務次官の敷いたレールをそのまま具現化したものだ。外務省のスタッフが調整済みの各地に飛んで地ならしする形になった。

だから岸田首相身の言葉や意思はない。逆に言えば、それしかできないということでもある。岸田首相の政治信念とされる「核なき世界」も、ＮＡＴＯとの軍事協力強化、イギリスとの準軍事同盟締結、スペインとの軍事協力拡大、米国との軍事的関係強化（核の傘、尖閣の日米安保条約5条の適用）の前には意味を持たない。米国による核の防衛を望みながら、「核なき世界」など盛り込みようがないのだ。

官邸筋はバイデン大統領との特別な関係が築けたから、外遊は大成功だったと自賛している。しかしコロナとはいえ会談は非常に短時間であり、会談後の共同記者会見もなく、私邸に招かれることもなかった。実際に会話した時間はわずかだったのではないか。安倍政権時代の関係からすれば非常に形式的なものだった。

それでもやるべきことを前に進めたのは確かだ。経済安全保障では半導体、AI、バイオ、宇宙分野での協力と人権問題等への対処、安全保障では核の傘の再確認と尖閣の5条適用、沖縄に離島奪還部隊の配備などが決まった。予定項ではあったものの、大半の成果を得ることができた。

半導体規制等については方針だけが決まって、これから具体的詳細をまとめていくという形になった。人権問題に関しても中国を名指ししない形で共同のワーキンググループをつくって対処していくことになったため、結果的には日本自身が中国に対処しなくてはいけない。

そういう点は中途半端さが岸田政権あるいは宏池会の特徴とも言えるだろう。現実を見ればやり遂げるしかない。岸田首相が自発的な意思を見せない点には少しもどかしさも感じる。

2023年のG7の議長国は日本である。広島サミットに向けて岸田首相は欧米歴訪で各国との協力関係を確認している。クアッドやイギリスとの防衛関係強化、米国との経済安全保障および安全保障の2+2などは安倍元首相の置き土産だ。

米国も議会の強い対中国姿勢を受けて中国包囲網とも言える新たな枠組みづくりを進めている。南米など中国が進出している地域に対する警戒も強めていて、中国排除を目指す動きも活発化させている。ヨーロッパも同様で、アフリカからの中国排除の動きを本格化させている。オーストラリアも開かれたインド太平洋の前提となる「自由と繁栄の弧」をつくるために、本格的かつ機動的に南太平洋からの中国排除に動き出した。

対して中国は攻撃的な外交スタイルである戦狼外交に変化が出て、融和的な政策を出し始めた。戦狼外交での変化というのは、その象徴とも言われていた中国外務省の報道官の趙立堅《ちょうりつけん》が解任されて国境担当へと異動したことだ。彼は鋭い目つきで非常に言葉遣いが荒く、話せば話すほど中国のイメージを悪くし世界各国の首脳を怒らせていた。

だから中国は戦狼外交をこれから少し引っ込めてくるのではないかとも言われている。しかしそれは国際社会との調和というよりも国内経済などの悪化が要因で、自国への規制や制裁を緩めたいという理由でしかないだろう。本質的には何も変わっておらず、台湾との緊張状態もさらに強まっている。

米国による次の中国への制裁は、半導体規制のさらなる強化、ＡＩやバイオなど先端技術への規制拡充、国際的なサプライチェーンからの中国排除である。もちろん日本が協力していくことには変わりはない。

これらは民生分野への影響も大きい。中国では軍、官、学、民が一体化しているため民の部分だけ切り離すことはできないからだ。

第5章

中国と付き合う各国の事情

米中に表裏の顔を使い分けるサウジアラビア

バイデンへの当て付けとなった習近平のサウジ訪問

ジョー・バイデンは2022年7月15日、米国大統領としては5年ぶりにサウジアラビアを訪れ、西部の都市ジッダでサルマン国王と実力者のムハンマド皇太子と会談した。このサウジ訪問の目的は、高騰しているガソリン価格を引き下げるために原油増産を要請することだった。

一方、約1年5ヵ月前の2021年2月、バイデン政権は、サウジ人記者のカショギ氏をトルコのイスタンブールのサウジ領事館で殺害した事件（2018年）にムハンマド皇太子が関与したと結論付けていた。それでバイデンとムハンマド皇太子の会談は世界的に特に注目されたのである。

会談でバイデン大統領がカショギ殺害事件を持ち出したところ、ムハンマド皇太子は自分の関与を否定するとともに、米軍も収容所の捕虜に拷問を加えたなどと指摘し、サウジ

OPECプラスの参加国

OPEC加盟国	OPEC非加盟国
サウジアラビア	ロシア
イラン	メキシコ
イラク	カザフスタン
クウェート	オマーン
ベネズエラ	アゼルバイジャン
リビア	マレーシア
アラブ首長国連邦	バーレーン
アルジェリア	ブルネイ
ナイジェリア	南スーダン
アンゴラ	スーダン
ガボン	
赤道ギニア	
コンゴ共和国	

↓

協力して生産量を調整

↓

原油の高値維持めざす

を一方的に非難するのは不公平だという考えを示した。会談は気まずいものになったのである。

　バイデンのサウジ訪問後に開かれた8月のOPECプラスの会合では、小幅の原油増産にとどまった。OPECプラスとは原油の生産量を協議する産油国の集まりで、OPEC（石油輸出国機構）加盟13ヵ国と非加盟10ヵ国が参加している。

　そして2022年12月8日、習近平が約7年ぶりにサウジを訪問した。首都リヤドでサルマン国王、ムハンマド皇太子と会談した。

　その結果、両国は原油取引拡大などエネルギー協力について協議し戦略的包括協定に署名し、人権侵害をめぐる米欧の批判をはねつける方針でも一致した。中国の一帯一路と脱石油依存を目指すサウジの経済構造改革のビジョン2030での連携も確認した。

さらにファーウェイによるサウジへの技術供与、中国企業のサウジへの直接投資、水素エネルギー分野での協力などでの覚書も交わした。この協力には両国が1100億サウジリヤル（約4兆円）以上の投資をするとも報じられている。

習近平を迎えるにあたって、サウジは21発の礼砲を鳴らし、国王自ら歓待をするなど外交プロトコル上では最大級の歓待を行った。ただし、それはバイデンに対する当て付け的な意味合いのほうが強かったのである。

報道では中国側とサウジ側のスタンスは違っていた。中国側が将来的な人民元での石油売買を報道したのに対し、サウジ側ではそれを完全に否定して、代わりにこういう言い方をしたのだった。

「欧米と違って我が国は一夫多妻制の国である。米国とも中国ともうまくやっていく」

昔から中東地域は交易で成り立っている。交易都市には商人が多いから、商売がうまいのは当然だ。シルクロードも東の端が中国の西安であり、西の端のひとつがシリアのパルミラだった。

石油やエネルギーの巨大消費国となった中国は、これまでアラブへの接近を進めてきた。それが実を結んで今回、サウジとの協定が結ばれることになった。だが本音のところではアラブは中国を信頼していない。同様に中国もアラブを信用していない。現世利益における利害の一致が今回の協定ということになる。

なお習近平は12月9日に、やはりリヤドで開かれたGCC（湾岸協力会議）首脳やアラブ諸国首脳との会議にも出席した。そこで「GCC諸国から原油、LNGの輸入を増やし、低炭素エネルギー分野での技術協力を強化する」と発言し、アラブとの関係強化への姿勢を鮮明にした。

さらに「石油や天然ガス貿易の人民元決済を展開したい」とも述べて、エネルギー輸入を足がかりにアラブでも人民元決済での取引を広げたいという意欲も示したのである。

こうして中国はアラブに手を出し始めた。だが、それをインドとトルコは望んでいない。中国がアラブに接近すればするほど、両国の反発が強くなる。中央アジアも同様で中国と中央アジアとの接近は、インドとトルコにとっては死活問題だ。

アラブ諸国にとってイランの「敵の敵は味方」イスラエル

イランは6ヵ国（国連安保理常任理事国のアメリカ・イギリス・フランス・中国・ロシアの5ヵ国とドイツ）との間で2015年7月に核開発停止の最終合意に達した。これがイラン核合意と呼ばれるものだ。イランはウラン濃縮用遠心分離機の大幅な削減などを受け入れ、欧米諸国は2016年1月にイランへの経済制裁を解除した。イラン核合意を主導したのは当時の米国オバマ政権の国務長官だったケリーだ。

イランに脅威を覚えていたサウジやUAEなどの中東湾岸諸国は、イラン核合意に強く反対した。イランはかつてのペルシャであってイスラム教におけるシーア派の拠点だ。対してアラブ湾岸諸国はイスラム教のスンニ派なので、同じ宗教にもかかわらず対立する関係にあった。

オバマとケリーはイラン核合意を自分たちの功績だと誇った。湾岸諸国は、イランと仲良くなった米国から離れていったのである。

ところがオバマ政権に代わって登場したトランプ政権は、イランは国際テロの最大の支援国家だとして「イランとの核合意を破棄する」と繰り返し示唆し、2018年5月に欠陥があるとしてイラン核合意を破棄し、経済制裁に踏み切った。

トランプ政権になってからサウジは米国に対するわだかまりも解けて、共和党政権とはうまくやるようになった。そこに入ってきたのがイスラエルというもうひとつのパワープレーヤーである。

2020年9月15日、イスラエル、UAE、バーレーンの3ヵ国が米国のホワイトハウスで「相互理解と共存、信教の自由を含む人間の尊厳と自由の尊重に基づいて、中東と世界の平和を維持し強化することの重要性」の認識を明記した「アブラハム合意宣言」に署名した。これによってUAEとバーレーンはイスラエルとの国交正常化を果たしたのだった。

つまり、「敵の敵は味方」という理屈で湾岸諸国がシーア派よりはいいとしてイスラエルと手を結んだのだ。トランプ政権の最大の外交的功績も、このアブラハム合意によるイスラエル（ユダヤ教）とアラブ（スンニ派）との融和である。

エジプトが1979年、ヨルダンが1994年にイスラエルと国交を正常化したのに続き、アラブ諸国でイスラエルと国交を持つのは4ヵ国となった。その後、スーダンとモロッコもイスラエルとの国交正常化を果たしている。

アブラハム合意は中東アラブ和平につながり、イスラエルとサウジとの歴史的な国交回復に向けての動きも進めていくだろう。半面、イランは再び米国の敵となった。

もっともバイデン政権が登場したら、またイラン核合意に復帰しようとした。これはアラブに対する裏切りであり、湾岸諸国の反発を招いた。そういう背景もあったためバイデンのサウジ訪問は、もともと成果が出にくいものだった。

イランはバイデン政権に対して、2度と核合意から離脱しないという保証を要求している。米国は政権が代われば政策も代わるのだから、バイデン政権は将来の政権を縛る約束はできないとして拒否している。米国のイラン核合意復帰も見通しが立たなくなっており、イランはウクライナ侵攻を期にロシアとの関係を深めているという状況だ。

湾岸諸国がドル決済を人民元決済に切り替えることは絶対にない

すでに述べたように、最終的には中国は湾岸諸国との原油などの取引を人民元決済に切り替えさせたい。だが、それは不可能である。

現在、アラブの湾岸通貨はドルペッグ（自国通貨と米ドルの為替レートを一定割合で保つ制度）なのでドルの価値に連動している。原油の値段はドル建てに換算され、ドルの裏付けは原油になっている。だからまず人民元決済になると、この関係が完全に壊れることになるので、米国にとってもアラブ産油国全体にとって不都合である。

また、今後は石油が取れなくなるかもしれないという懸念から資産をドルで運用して蓄財をしてきたのがアラブ諸国、湾岸諸国だ。国内に資産を置いておくのではなく、資産をファンドなどにして米国のウォールストリートやイギリスのシティで運用してきた。もし湾岸通貨がドルペッグを外れると、ドル資産が凍結されてしまい、今までの世界中の蓄財もすべてなくなってしまう。

湾岸諸国にとっては米国と喧嘩をするのは、これまで蓄えてきた資産を失うことにつながる。ロシアのオリガルヒを見ればわかるように資産を没収されたら終わりである。だからけっして即座に人民元に替えられるものではない。

サウジについて言えば、目下、王族の王子は１５０人くらいいると言われている。イスラムでは４人の妻をもらえる。それぞれ多くの妻を抱えているのだ。ちなみに１人目がだいたい政略結婚、２人が本妻、３人目が愛人、４人目が浮気用である。結婚はその場で「結婚する」と言うと成立する。離婚は「離婚する、離婚する、離婚する」と３回言うと成立する。なんて便利なのだろう！（笑）

サウジにはそんな王子も含めて王族だけで７０００人くらいはいる。サウジでも王族全員が過去の蓄えをドルで持っている。ただし末端の王族はタクシーの運転手などをしており、楽に食べていけるのは上層の王族だけだ。

ムハンマド皇太子は父親のサルマン国王の体調がよくないため、国の実権を握っている。ムハンマド皇太子はカショギ殺害事件の前にサウジアラムコというサウジの国営の石油会社を上場する際に親族全員をホテルに監禁して、無理やり権利放棄のサインをさせた。その反発が残っていて、反皇太子派もサウジの中でかなり力を持っている。

王族全体のドルが凍結されたり価値がなくなったりすると王家の危機だ。150人の王子たちは、自分たちの資産を失ってしまいかねない暴走をムハンマド皇太子が行うことを許さないだろう。しかも暴走は周りの湾岸諸国にも迷惑がかかる。

人民元決済になるとクーデターが起きてムハンマド皇太子はクビを取られてしまう。人民元決済が認められるわけがないから、ドルペッグから外れることはできない。

それにサウジの石油は、サウジアラムコが油田や油井の権利を100%持っている。サウジの王族は年貢制である。石油はどこのものを何リットルという形で王族に配られる。現物支給だ。それはアロケーション・ホルダー（原油を採掘して販売する権利のある人）と呼ばれる。各王族はそれをいろいろなところに売る。このシステムはドルをベースにつくられているので、下手に人民元決済に手を出すとサウジアラムコがつぶれてしまう。

サウジアラムコは上場されていて、株主をはじめ権益者がたくさんいる。同社をニューヨークで上場するという話もあったほどだ。カショギ殺害事件で米国との関係が悪くなってしまい、ウォールストリートではなく、シティや東証に上場する話になったこともある。結果的にはサウジ国内のみで上場している。だがドルペッグなので米国の資本もかなり入っている。このサウジアラムコの事情からしてもドルペッグを外れて人民元決済になることはあり得ない。

したがって、たとえムハンマド皇太子と習近平の仲がよく見えたとしても、ムハンマド皇太子の本音では絶対にドルペッグを外すことはしない。当然、人民元決済など行うわけがない。ムハンマド皇太子もバイデンに対する不満や当て付けで中国と仲良くしているところを見せたのである。

一方、中国は自国中心主義だ。それは中華思想（中国が世界の中心）の理念なので捨てることはない。中国が自国中心主義を改めない限り、いずれはサウジとも正面から対立することになる。

「栄光ある孤立」に立ち戻ったイギリス

ブレグジット成立に寄与してしまった習近平のイギリス訪問

イギリスの戦略は以前は「栄光ある孤立」だった。だから7つの海を支配した大英帝国の方針もこの一言に尽きる。植民地戦略では、大陸国家であるフランスなどが面で植民地を取っていくのに対し海洋国家であるイギリスは点で取っていった。だからイギリスが歴史的に影響力を持っている南アフリカ、インド、オーストラリア、ニュージーランド、米国、カナダといった国々は、植民地からイギリスへと物資を運んでいく太平洋や大西洋のルートに面している。その中心にあったのがイギリスが中国から99年間の租借をしていた香港だった。

しかし東西冷戦が終わった後のグローバリズムの時代において、今度はイギリスはヨーロッパあるいはユーラシア大陸の一部に参加しようとなった。つまりEUに参加して大陸との連携を強めるという選択をしたのだ。これはイギリスがEUの一部になるというだけでなく米国と距離を取るということでもあった。

しかし２０１６年６月に実施された国民投票でイギリス国民はブレグジット（ＥＵ離脱）を選択した。ブレグジットに至った大きな要因は、習近平が２０１５年10月にイギリスを国賓として訪問したとき、国内の保守層が激怒したことだ。

当時はキャメロン首相とオズボーン財務相による保守党政権だった。出迎えではロンドン塔とグリーン・パークでそれぞれ礼砲62発と41発を打った。これはイギリス王室の最高の礼である。さらに晩餐会では天安門事件の年の赤ワインが出された。

エリザベス女王は習近平をかぼちゃの馬車に乗せてロンドン市内を案内するようなことも行った。後にそれに対するエリザベス女王の不満がどこかからかリークされたのだった。

こうしたことがイギリスの保守層の怒りに火を点け、キャメロン政権への批判へと向けられたのだ。日本なら天皇陛下を政治利用した政権に保守層から強い批判が浴びせられるのと同じ理由である。

ブレグジットの国民投票は当初、不成立の可能性が高かった。そこで習近平を国賓として迎えたキャメロン政権へのイギリスの保守層の怒りがぶり返したために、国民投票の賛否が５ポイントくらい逆転して結果的にブレグジットが成立することになったのだ。

その意味ではブレグジットの成立は習近平のおかげだったと言える。反対にそのイギリス訪問がなければ、ブレグジットは不成立となったに違いない。

ともあれイギリスにとってブレグジットは結果オーライだろう。イギリスとしては、ガタガタしているヨーロッパから離れて再び「栄光ある孤立」というフリーなポジションを得て清々したというところではないか。

ブレグジットが成立したために、中国に甘かったキャメロン政権も退陣して中国に厳しい態度を取るメイ政権が生まれた。

またイギリスはEUに参加しても、最後まで自国通貨のポンドを捨てなかった。通貨まで一体化していたら、EUを離脱することは非常に困難になったはずだ。夫婦の財布が別だと離婚も簡単なのと同じである。

一国二制度を守らせるよりも香港を取り戻したほうがいい

イギリスはブレグジットによって再び自立を取り戻した。ただし世界が分断方向に動く大きなきっかけになったのも、やはりイギリスのブレグジットだった。

イギリスはブレグジットで大陸を捨てる選択をし、かつての海洋国家に戻ることになった時点で、改めて米国との関係を見直した。これでイギリスの国際戦略、外交戦略は大きく変わった。それもブレグジットのせいだということになる。

さらにイギリスは日本と同盟関係を結ぶことへと踏み込み、日本のインド太平洋戦略とも歩調を合わせるようになった。

メイ首相が２０１７年８月に来日したとき、当時の安倍首相との間で「安全保障協力に関する日英共同宣言」を出した。そこには「日英間の安全保障協力の包括的な強化を通じ、グローバルな安全保障上のパートナーシップを次の段階へと引き上げる」という文言が盛り込まれた。これは事実上の軍事同盟の宣言である。

ブレグジットによって栄光ある孤立という戦略に再び戻ったイギリスは、同時に環太平洋諸国との連携を強めていったので、このあたりからオーストラリアも一気に反中へと転じた。オーストラリアでは、中国に籠絡《ろうらく》されていた政治家が全部排除された。それまで石炭などを中国にどんどん売って中国と仲良くやっていこうという動きも止まったのだ。

同時にオバマ政権もそれまで放置していた南シナ海問題等に関与するようになってきた。２０１３年のシャングリラ・ダイアローグ（アジア安全保障会議）で初めてフィリピン問題や人工島問題について米国が関与を示唆し始めたのだ。

イギリスの保守層を覚醒させたブレグジットはトランプ政権誕生にも影響を与えている。つまり、トランプも米国の保守層の勃興をつくり出すことが大きな力になると考え、米国ファーストを訴えたことによって政権を獲得したからだ。

またブレグジットの国民投票の1年前、香港では雨傘運動が起こった。香港のHSBC、スタンダードチャータード、中国銀行（香港）の3行は依然として香港ドルを発行している。これはドル預託通貨と言って米国債の保有高に合わせて発行できる通貨だ。しかし習近平はその通貨をつぶそうとしている。だから今やイギリスは、50年間の一国二制度を守るようにと中国に働きかけるよりも香港を取り戻さなければならないと考えている。

イギリスは契約法国家なので一国二制度という契約の下で香港返還した。それはすでに破られてしまったのだ。イギリス的な解釈で言えば必然的に契約は無効ということになる。中国が台湾有事を引き起こして負けた場合、当然、イギリスは中国に香港を返せと迫るはずである。

終わらないロシアによるウクライナ侵攻

同床異夢のロシアと中国は最終的に対立する運命

プーチンは2022年2月に北京冬季五輪の開幕式に参加し、習近平と中露首脳会談を行った。この共同声明では、ロシアが米国などに求めているNATO不拡大について中国は「共感し支持する」という態度を表明し、「両国がNATOのさらなる拡大に反対する」とも明記された。

会談ではプーチンはウクライナへの武力侵攻の話もしただろう。ただし北京冬季五輪開催中はウクライナ侵攻には踏み切らないことにもなったのだ。

中国がロシアからパイプラインによる天然ガスを購入する話もまとまった。これによってロシアはヨーロッパの代わりになる売り先を確保した状態でウクライナに武力侵攻できた。ところが春が来て戦場が泥沼になり、戦車が全部足止めされてしまった。ロシアによる電撃戦は失敗したのである。

人民元決済システムという話も会談で出たはずだ。ロシアとしては当初、国際決済にCIPSを使うのではないか思われた。中国はすぐにCIPSにロシアを加えてもよかったのに、現在まで加えていない。

習近平は、これまで北京や香港での一帯一路サミットにロシアの衛星国家を招いて影響力を示してきた。もともとトルコ系である中央アジアの「○○スタン」という国はロシアの衛星国家でもある。中国が手を出してくるのは面白くない。それに、ロシアはヨーロッパの一員だと思っているから、アジア人の軍門に下るのは絶対にプライドが許さない。衛星国家を絶対に手放さないだろう。過去には、ロシアと中国の国境が陸で接していることでしばしばぶつかってきた。

とはいえ今はウクライナ戦争との2面作戦は無理だから、中国と面と向かって敵対することはできない。中国も米国とNATOに対抗しなければならないので手を組んでいるだけだ。ロシアと中国は異夢同床であって、最終的には対立する運命にある。それが歴史に基づく大方の見方なのだ。

引き際が難しいことがプーチンと習近平の類似点

習近平とプーチンの類似点は、どちらも一代皇帝ということである。一代皇帝と世襲の皇帝とは国民の受け入れ方に大きな違いがある。

皇室のある我が国、王室のあるヨーロッパの国々やアジアのタイなどは、いざ国に騒乱が起こったというときに皇室、王室が平定に動くと騒乱も治まるのだ。

最近、イギリスではエリザベス女王から国王のチャールズ3世へと代替わりした。エリザベス女王ほど人気がないと言われるチャールズ3世であっても、国内に騒乱が起こったら、権威を発揮して騒乱を鎮めることができるに違いない。

ベルギーやデンマーク、オランダはヨーロッパでは小国だ。しかし王室外交ができるため、ヨーロッパでも大きな存在感を発揮している。

フランスはフランス革命によって自ら王族を殺してしまった。今となってはヨーロッパの王室社会の中にフランスはけっして入り込むことができない。それがフランスの最大のコンプレックスとなっている。

プーチンと習近平は一代皇帝だから、世襲による代替わりは想定されてない。だから一代皇帝は力を失い始めると、すぐに下克上に向けての動きが起きてしまうのである。

プーチンについては、すでに何人かの後継者の名前が上がってきている。しかし正統な後継者が誰になるのか、まだ全然わからない。習近平に至っては自ら後継者を次々とつぶしてしまった。後継者は誰もいない状態だ。これは裏を返すと、誰が後継者になってもおかしくないということである。三国志のように失脚によって頭角をあらわす人物が次の皇帝になるかもしれない。

一代皇帝もいつかはいなくなる。だが、2人とも引き際がものすごく難しい。習近平は慣例のように2期で総書記を辞めていれば、うまい引き際にすることができただろう。3期目も続けることになって、辞めどきがわからなくなってしまった。

プーチンの場合、ロシア大統領も任期制だったので、一時期はメドベージェフに大統領を譲った。それなのに再び大統領になっただけでなく、ウクライナ戦争まで起こしてしまった。もし一時的に他人に大統領職を譲ったとしたら、それはそのまま失脚へとつながってしまうからだ。

ロシアがリースした飛行機は国外に出たら差し押さえ

ロイズとミュンヘン再保険が船舶保険の再保険引受で最大手である。この2社がシティの保険のギルドでルールを決めている。例えば東京海上日動火災が日本郵船の船に保険をかけたときにもロイズに再保険をかけている。

基本的な国際船舶の保険の料率を決めるのはロイズで、船主組合の下にP&I（船主責任保険）がある。これが船荷と船の責任保険だ。そこにサルベージのサービスなども全部付いている。

ロイズとミュンヘン再保険がともに再保険引受を拒否すると、他の保険会社が自らリスクを取って再保険を引き受けるしかない。だが、それはリスクが高過ぎるのでどこもやらないのだ。もし何か事故が起きたら会社がつぶれてしまいかねないし、国際的非難を浴びるのも間違いない。

ウクライナ戦争を仕掛けたロシアは、紛争危険地域ということで保険の再引受の拒否地域になった。日本の大手保険会社もロシアに接岸する船には保険引受を拒否している。

今、ロシアの上空を飛べる民間の飛行機は、同国の航空会社以外には中東系とトルコの航空会社だけだ。そもそもロシアがその他の航空会社に上空を飛ぶのを許していないため、中国の航空会社もロシア上空を飛んでいない。ただしロシア上空を飛ぶ飛行機には、ロイズが再保険を引き受けないため保険がかけられない。

ロシア航空会社は国外に飛ぶと飛行機を拿捕《だほ》されてしまう。ロシアの航空会社が保有している960機のうち520機はリース機だ。今はリース代を払えないから踏み倒している。コルレス口座を押さえられているのでお金も送金できない。となると520機のリース機が国外に出たら、着陸した空港で差し押さえられてしまうのである。

520機のうちすでに差し押さえられた飛行機とそうではない飛行機がある。いずれにせよリース代が踏み倒されているので、世界の航空機リース業界全体では2兆円くらいの損失が出るのではないかと言われている。

もちろんロシアの航空機は国内は飛べる。しかし制裁によってロシアへの航空機部品販売も禁止されている。部品が調達できなくなると、国内を飛ばせる飛行機もどんどん減っていくことになる。

ウクライナ侵攻の目的が非ナチス化から悪魔祓いに変わった

ロシアではプーチンの神格化もどんどん進んでいる。2022年11月、政治と一体化した宗教であるロシア正教が、悪魔祓《ばら》いの最上位の主席エクソシストに彼を任命した。西側は悪魔だから、ウクライナを悪魔から守るエクソシストこそがプーチンというわけだ。

当初、ウクライナへの軍事侵攻の目的は非ナチス化だった。それがいつの間にか、悪魔祓いに変わったのである。

ウクライナでは厳しい冬から激しい戦闘が継続されている。ロシア軍はウクライナのインフラ遮断をもくろみ、発送電施設を攻撃したためにウクライナ全土で停電が発生した。対してウクライナ軍もロシアの内部にゲリラ的攻撃を拡大し、ロシア軍の基地にドローン攻撃を仕掛けている。

戦いながらロシアとウクライナは批判合戦を繰り広げていて、その一方、戦闘終結に向けての動きは停滞している。周辺国も見守るだけの状態で終戦や停戦に向けて積極的に動くような気配はない。

ただしロシアのほうは西側の兵糧攻めによって、国内の産業基盤が破壊され始めている。半導体などの部品がなく工業生産が停止に向かっている。さらに２０２３年１月１日から海運の保険の停止猶予期間が終了した。ノキア、エリクソンなどからの通信サービスの部材供給や海外からの最低限のインフラ部材供給も停止した。

ミサイルをはじめ兵器も尽きかけている。イランからのドローン購入など外部から調達しようとしているけれども、量を確保するのは容易ではない。兵士も熟練度不足で消耗《しょうもう》が激しく、1日800～900人の兵士が死んでいるのではないかとの推測も出ている。

ウクライナに対して優勢を保つのは難しくなってきている。それでもプーチンとしては負けを認めてしまうわけにはいかない。何とかウクライナ東部4州を抑えた状態で停戦なり終戦なりに持ち込むことによって勝利を宣言したいところだろう。

欧米からの軍事的支援を期待できるのがウクライナの強み

ロシアも疲弊していると同様にウクライナの被害も大きい。

これまでロシアは民間人という建前でウクライナにスパイを送り込み、独立運動を引き起こさせて金銭と軍事の支援を行って独立蜂起させてきた。2014年には、ロシアはクリミアにいるロシア人保護を名目に小規模な軍事介入を行い、クリミアでロシア併合に賛成するかどうかを問う住民投票を実施して賛成多数でクリミアを併合したのだ。この住民投票でロシアのスパイが暗躍したのは言うまでもない。

だからこそウクライナは、ロシアに奪われたクリミア半島の領有権を取り戻すまで戦争はやめないと言っている。もちろん他のウクライナの地域の併合も絶対に認めない。戦争の長期化は必至の状況だ。

またウクライナがロシアよりも有利な点は、欧米からの軍事的支援が期待できることだ。ロシアは経済制裁で半導体をはじめとして兵器の部品が手に入らないし、兵器の支援をしてくれる国はイランや北朝鮮しかない。しかも欧米の兵器に比べると性能が劣っている。

戦争の長期化でウクライナも、さらに性能の高い武器を送ってくれるよう欧米各国に訴えている。それで米国もパトリオット・ミサイルの供給を決めるなど新たな支援を開始している。とはいえ米国としては今のところ、あくまでもウクライナ防衛に協力しているという立場だ。基本的には防衛用の短距離攻撃の兵器を供与するにとどまっており、ロシアを本格的に攻撃できる兵器は与えていない。負けないための支援にすぎない。

米国議会では下院の過半数を取った共和党が、米国人の税金を使うウクライナ支援に反対し、その費用はEUなどが負担すべきだという意思も示している。

NATOは域内からのロシアの影響力を排除する原動力となるという理由で、ウクライナを支援している。やはりロシアの領土に対して破壊的な攻撃ができない範囲での武器支援を続ける。

EUとしては、ロシアの疲弊は域内の親ロシア勢力を衰退に追いやり、ロシアから支援を受けている自治州を弱体化し、飛び地領土奪還の足がかりにできる。さらにロシアが敗北を認めた状態での終戦を望んでいる。もしロシアの勝利による終戦または停戦では、ロシアから供給を受けている天然ガス問題は解決しないどころか、さらにこじれてしまうからだ。

ただしNATOやEUでも加盟国間では温度差がある。ポーランドやオランダなどは支援に積極的なのに対し、ロシアとの関係が深かったドイツは優柔不断なところがある。親ロシアのハンガリーもウクライナ支援にもロシア制裁にも反対だ。NATOやEUも一枚岩ではない。

もっとも2023年の1月下旬になって、ドイツもようやく最新鋭の戦車レオパルト2をウクライナに提供することを決断した。

中央アジアへの進出を企てる中国にもロシアの消耗は好都合だ。だが、ロシアがウクライナ侵攻に失敗すれば、プーチンとの親密さをそれなりにアピールしてきた習近平の立場も厳しくなる。中国にとっては、ロシアが消耗したうえで建前上は勝利したという形で終戦、または停戦を迎えるのが最も望ましいだろう。

存在感を増してきた国々

最大の違いは契約の概念がインドにあって中国にないこと

世界最大の民主主義国というのがインドの言い分である。インドは国土が非常に広くて日本同様に南北にも長い。多文化で多宗教で州によって風土気候、言語も政治形態も違う。南の突端にあるケララ州などは共産党が議会を握っている。それでも不思議なことにインドはなぜかひとつの国である。インドから離れたのは宗教問題のあったパキスタンとバングラデシュだけだ。

インド人のうち出稼ぎも含めて約3億人が国外に出ている。インド政府はその3億人を完全に掌握しているので、外国にいるインド人にもきちんとコロナワクチンを届けることができた。

インドと言えばカーストが有名だ。日本人はカーストをちょっと誤解している。カーストは一種の職業の階級でもあり、その意味でカーストがあるからインドが成立しているとも言える。インドでは上位のカーストにとって下位のカーストはいわば所有物だ。

それぞれの州には県があり、そこにマハラジャ（地方領主）がいる。全国に700人くらいいるとされるマハラジャは自分の領地を持っていて、そこにカーストが存在している。例えば扉を開けるカーストは扉を開けていることによって一生飯が食える。

かつて私がインド人と商売の取引をしていたとき、お金をカウントする携帯用のマネーカウンターをプレゼントしようとした。すると、そのインド人は「いらない」と言う。「ウチにはお金を数える役割の人間がいるので、そんなものがあると仕事がなくなる」とのことだった。お金を数える仕事だけでは、上は目指せないかもしれない。だが、確実に食ってはいける。それがカーストというものなのである。カーストの仕組みが工業化とともに、どのように変化していくのかもインドの発展のひとつのポイントだと思う。

中国とインドの違いのひとつは人口構成だ。インドの人口は実際にはすでに中国を抜いている可能性がある。インドの人口はきれいなピラミッド型をしているので、当面は老いる恐れのない国だ。医療分野などが充実してくると、インドも人口爆発に悩むようになるだろう。

さらに中国とインドの最大の違いは、契約の概念があるかどうかということだ。法律の上に中国共産党がある中国は、いわゆる人治である。西側国家では法の下に指導者がいる法治で、例えば日本においては天皇陛下の行動をも法律が縛っている。

だから中国のような裏切りはしない。西側の契約法の概念が残っているので、西側の国家とうまく付き合っていけるのだ。

ところが中国の法は、上の者が下の者を支配するためにだけあるのだ。法の概念そのものがまったく異なる。しかも中国では、儒教社会の影響で上と下という序列でしかものを考えられない。

それは中華思想によく表れていて、中国は国際社会でも自国が他国よりも上になろうとする。戦狼外交も中華思想的には正しいとされている。それによって得られるものよりも、失うもののほうが圧倒的に多いのは言うまでもない。

指導者についても今の中国とインドとは明確に違う。政治家としては食えなくても首相のモディには愛嬌がある。優しげで他人の懐に入り込むのがものすごくうまい。安倍元首相の誕生日には「ハッピーバースディ、安倍ちゃん」と平気で言った。けれどもモディはつくり上げられた帝王学の持ち主だと思う。言動や人格が全部計算されている。それだけ頭がいいということでもある。

G20の場で人が集まるのはモディの周りで、ふんぞり返っていてまったく愛嬌《あいきょう》がない習近平は一人ぼっちである。

日本としてはインドを確実に中国の敵対国家にしていく必要がある。世界地図で見たとき、中央アジア、インド、パキスタンあたりがひとつの壁になっている。日本もその部分を確実に確保する必要がある。だからクアッドは、それも見据えた大きなビジョンなのである。

世界の工場という立場も、アイフォーンの工場が移っているように、中国にあった大量生産の工場は、これからはインドに移っていくのではないか。医薬品原料も今、中国から必死にインドのほうに移そうとしている。日本とインドとの産業分野での協力は、これからもどんどん深まっていくだろう。

さらにインドではスーパーエリートの選別も行われている。小さいころにIQテストを行い、優秀な子供たちをカーストの上の人間がパトロンとなって教育を与え、海外にも留学させたりしている。これは一種のトップエリート養成だ。これで特に理系に非常に強い国になっていく。ただし他の民主国家が同じことをできるかと言うと、人権問題と関わっているためなかなか難しい。

米国に留学して医者になったら、そのまま居残るインド人も多い。だから米国はインド人の医者だらけだ。海外に先端技術を学ぶために留学したインド人は、帰国したら国内のＩＴを支える人材となる。インテルでもＣＰＵを手がけているのはインド部門だ。

そういう面でインドというのは、非常に優秀であると同時に怖い。やがて日本にとっても脅威となる存在なので、うまく付き合っていかなければならない。

ここに来てインドは中国と対立し、ロシアおよび米国とは是々非々の関係を続けている。今後のインドは世界的な位置付け、あるいは立場が非常に大きなものになっていくだろう。

中国の脅威を前にして米軍が復帰するフィリピン海軍基地

中国に対する米軍の動きでは台湾問題以外にも大きな変化が起きている。米軍がフィリピンのスービック海軍基地に復帰する可能性が非常に高くなったことだ。この計画は、中国が南シナ海の埋め立てを開始したときに練られて、フィリピン政府（アキノ政権）との間で合意に漕ぎ着けた。だが、ドゥテルテ政権に代わった後には進捗がなかった。

それでもフィリピン政府との合意は残っていたため、２０２２年６月にフェルディナンド・マルコス・ジュニア（ボンボン・マルコス）が新大統領に就任してから米軍復帰に向けて動き出した（副大統領にはドゥテルテ前大統領の娘のサラが就任）。マルコス・ジュニアは、1986年に民衆蜂起で大統領の座を追われたフェルディナンド・マルコスの息子で、亡命先の米国で教育を受けているため、米国との関係が非常に深い。

中国は国連海洋法条約に基づく仲裁裁判所（オランダのハーグに設置）の2016年7月の判決を無視している。この判決は「南シナ海で中国が設けた九段線には国際法上の根拠がない」というものだ。中国は国連海洋法条約の批准国であるにもかかわらず、直ちに判決を拒否する声明を発表した。九段線とはベトナム沖からマレーシア沖に下りフィリピン沖を通って南シナ海を大きく取り囲む線で、九段線の内側海域すなわち南シナ海のほぼ全域に主権が及ぶと中国は主張してきたのだった。

スービック海軍基地に米軍が復帰すると、中国に対する南シナ海の前線はフィリピンになる。よって台湾は後方基地へと退き、沖縄はさらに後方支援の基地という構図になる。これを実現しなければならないという判断で日本も動いてきた。安倍政権のときにフィリピン海軍やベトナム海軍と協力関係をつくったことが生きているのだ。

しかも最近、中国が新たに4つの人工島をつくっていると報じられた。そのためフィリピン政府は強い脅威を感じており、スービック海軍基地への米軍復帰が一気に前に進む可

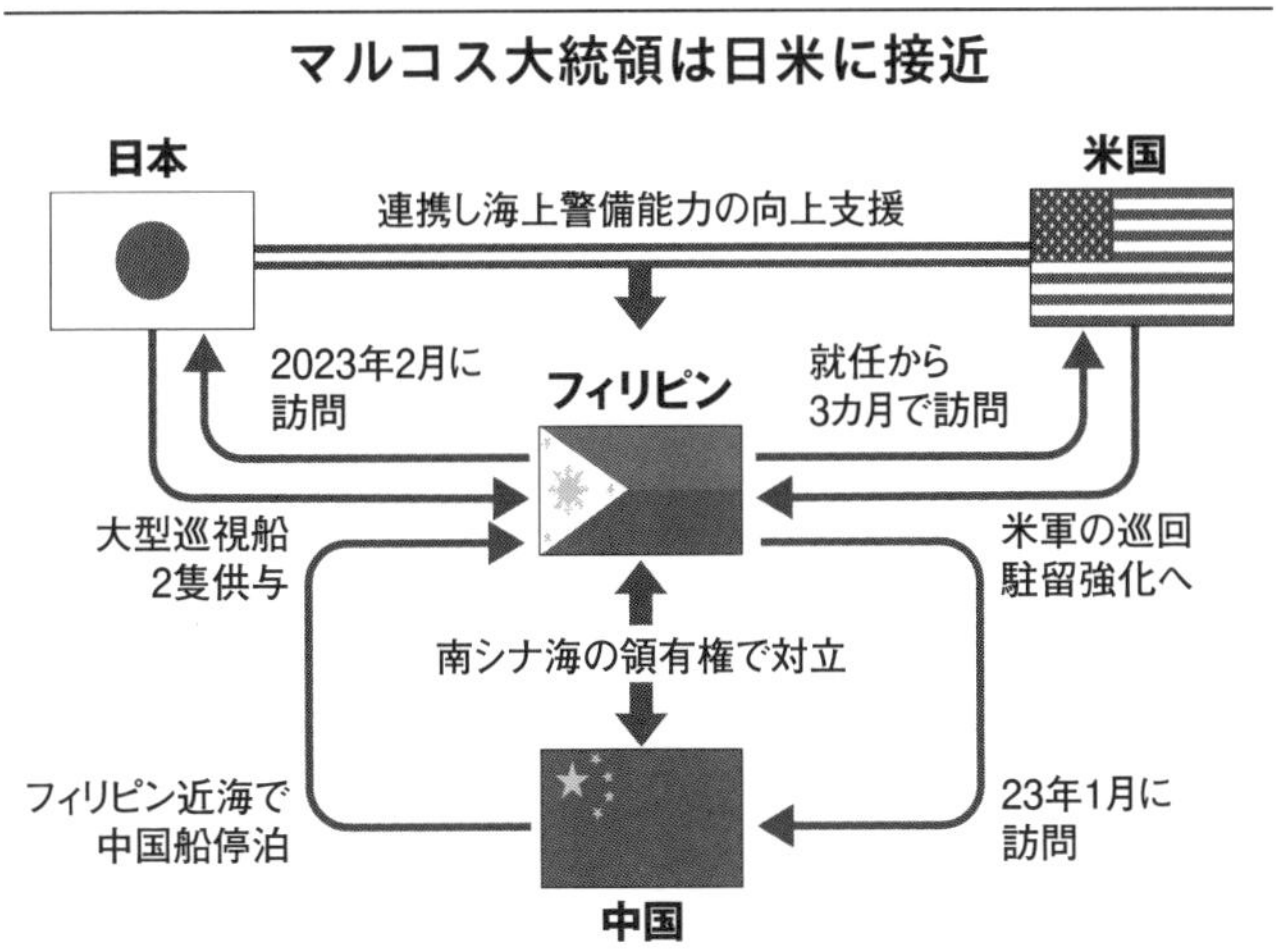

能性が出てきた。

フィリピンのクラーク空軍基地は、残念ながら火山の噴火で使用不可能になってしまった。しかし米軍がスービック海軍基地に復帰すれば、南シナ海の制海権が大きく動く。それが非常に重要だ。制海権が変わることで南シナ海の地政も大きく変わっていって、中国の海洋進出を抑えることができるようになるのである。

日本のテレビメディアや新聞はこのニュースを大きく取り上げないが、フィリピンへの米軍駐留（巡回配備）は日本の軍事費拡大以上に重要なニュースである。世界的な安全保障構図を大きく塗り替える始まりといえる。

また、2月8日からボンボン、マルコス大統領が訪日するので、安全保障について、さらに深い議論を行うことが期待されている。

欧米を利用して自国の優位性を強めていきたいトルコ

ここに来てトルコの台頭も注目されている。NATOの一員ではあっても、ロシアとの間に立って中立的立場を維持している。

中立的立場という点では、アラブ産油国も原油取引などに関して同じだ。ロシア産の安い原油で大きな利益を得ている。バイデン政権には、トルコやアラブ産油国をロシアから引き剝《は》がすだけの力はない。

トルコはボスポラス海峡、ダーダネルス海峡という要地の権益を持っている。両海峡を通れないと黒海は琵琶湖のような内海になってしまうし、ロシアの黒海艦隊は地中海にもアラビア海にも出られない。逆に言うと、両海峡を支配することでロシアの西への出口を完全に封鎖できる。

トルコは今は国が小さくなった。けれども、かつてのオスマン・トルコ時代にはヨーロッパから中東、アフリカ、アジアの地域を支配していた国だった。ここに来て、当時の存在感がそれなりに蘇ってきており、大統領のエルドアンの動きも目立ってきている。

トルコは「EUに入りたい」と以前から求めてきた。EUのほうは「入れてやる」と言いながらも、絶対に入れる気がない。両者はそんな不思議な関係を築いている。

2015年のヨーロッパ難民危機のときにも、EUはヨーロッパに来た難民をトルコに引き受けさせる代わりに、何兆円かの支援と合わせて将来的なトルコのEU参加を認めると請け負ったわけだ。だが、それは実現しなかった。EUは最初からEU参加を認めるつもりはなかった。それをトルコも最初からわかっていたに違いない。

というのはヨーロッパからすれば、イスラムの国であるトルコは異教の国だからだ。EUも基本的にキリスト教同盟である。このような構図は十字軍時代からまったく変わっていない。トルコがEUに参加するということは、トルコ人がヨーロッパ人になることだ。キリスト教同盟である以上、そんなことはあり得ないのである。

エルドアンは、米国とも対立してきた。一方、NATOの最大の軍事基地を抱えているため、米国とも条件闘争を行いながら是々非々でうまくやろうとしている。

エルドアンの本音はEUと米国をうまく利用して、自国の優位性をやはり強めていきたいのである。

米国の次期大統領は誰になるのか？

世界の安定にとって悪くはない共和党のタカ派大統領の誕生

１９８０年初頭あたりからソ連がおかしくなって１９９１年には冷戦が終結した。ソ連後のロシアも中国も経済的に追い詰められて、ロシアは西側諸国の一員になる動きを見せ始め、中国は改革開放に拍車をかけていった。

こうしたことと並行して世界中の極左以外の左派の人々は、巨大な社会実験である東側の共産主義や社会主義が失敗したため保守派に転向した。これがネオコンサバーティブで、グローバリストと呼ばれる人々の正体なのである。

その代表格は米国では大富豪のコーク兄弟だ。コーク兄弟から支援を受けて、昔からの保守派ではないティーパーティなども含めたネオコンたちが共和党の主流派を占めるようになってきた。これが１９８０年代からトランプ政権誕生までの大きな流れである。

トランプ政権が誕生した前後から、イギリスではブレグジット（ＥＵ離脱）など世界が再び冷戦構造に分かれていく。この大きな潮流の中で、米国の共和党も古い保守に傾斜していくようになった。つまり、古い保守の勃興こそがトランプ政権の誕生につながったのである。対して米国の民主党にはかつてのグローバリストが残った。共和党と民主党の両方にくっ付いていたのが中間派の人々だ。

また、右派が強くなると左派も強くなる。民主党の中ではバーニー・サンダースをはじめとした社会主義者が台頭してきた。これはロシアや中国の復興と類似している。共産主義や社会主義はお金がなくてダメになったのだが、民主党の社会主義者の復活にはロシアや中国からお金が出ていることも大きいだろう。

民主党では中間派の人々の数が圧倒的に多いが、声は世界中共通で極左のほうが大きい。中間派は極左と組まないと議会で過半数を取れないから、前回の大統領選挙では中間派は極左と手を結んだ。しかしペロシのような中間派と、オカシオ・コルテスやサンダースのような極左との間には、ものすごく長い距離がある。

ネオコンのメンバーのマイケル・ブルームバーグは元は民主党だったが、共和党から出馬してニューヨーク市長になった。共和党ではブルームバーグのような人々は中間派だ。トランプは常に共和党の中間派と軋轢《あつれき》があったし、コーク兄弟とも対立している。

トランプの熱烈な支援者の中には陰謀論系の人々も少し含まれている。この陰謀論系の人々が2021年1月6日に連邦議会襲撃事件を起こしたのだった。それはトランプ支持者の極端な例だ。トランプ自身は議会襲撃など命じていないと主張している。それをことさらトランプが命じたと断じるのは政治的利用のための印象操作だ。

次の大統領選挙の共和党予備選では人気の高いトランプが勝つ可能性も十分にある。共和党予備選で投票するのは共和党員だけだ。共和党から誰が大統領候補として出てくるのか。予備選でトランプが勝てる可能性は高いけれども、その後の本戦に行くまでのプロセスがまだ読めない。ただ1年後には見えてくると思う。

上院の共和党の院内総務はアンチ・トランプだ。共和党にもアンチ・トランプの人間はけっこういる。元副大統領のチェイニーの娘もそうだが、2022年の上院選の予備選挙では敗北した。

新しい下院は共和党が握った。下院には調査権があるので、バイデンの息子のハンター・バイデンの調査委員会がつくられるだろう。

バイデンも次の大統領選挙に出ると言っているが、次の大統領選挙に出たら82歳だ。当選すれば86歳まで大統領をやることになる。今でさえ認知症ではないかと疑われているのだから、現実的には大統領選挙に出られるとは思えない。といって民主党内では他の有力候補も見つからない。サンダースに至ってはバイデンよりも年長である。

世界的にも日本としても民主党よりも共和党の大統領のほうがやりやすいだろう。共和党の大統領になると、ＣＯＰ27（第27回国連気候変動枠組条約締約国会議）の脱化石燃料などの話が全部ひっくり返る。

しかも議会の上下院両方を支配したうえでの共和党大統領となると、米国はかなりタカ派に転じていく可能性が高い。

よりいっそうのタカ派になれば、みんなが考えているのとは反対で、中国はおとなしくせざるを得なくなるかもしれない。やはり敵が強いと中国も強く出られないだろう。トランプ時代には中国はやられっ放しだった。バイデンのような弱い大統領が出てきたら、中国も突然、手の平を返して偉そうにするようになった。

大きなトレンドの中で例えば新冷戦が終わるという見通しは立たない。新冷戦が終わるとすれば、旧冷戦のようにロシアと中国がともに経済的にメタメタになってからでないか。それを考えたときに新冷戦が終わらないのであれば、タカ派の大統領が出て日本の指導者がしっかりしてもらわない限り、逆にいろいろな面で衝突が多発すると思う。本当なら、逆にバサッとやってしまったほうが傷が少なくて済むはずだ。

米国で共和党のタカ派の大統領が誕生することは、日本と世界の安定にとっても悪いことではない。

大統領選挙に向けてひとつの政局材料になってきた債務上限問題

日本の特例公債法と同じで、米国では債務上限問題がクリアできなければ予算執行が停止する。米国はすでに債務の上限に達しており、このままなら2023年6月までには財源が枯渇する。そのため債務上限問題は野党の交渉の最大の材料であり、与党の民主党とホワイトハウスにとっては大きな頭痛の種となる。

民主党およびホワイトハウスはこれまで協議に応じない方針だったが、債務上限到達によってその余裕もなくなってきた。ただし予算の停止は批判を招くため、共和党にもダメージとなる。

共和党はグリーン関連予算を認めないとし、肥大化する歳出を批判してきた。民主党内にも脱化石燃料に否定的な議員も多く、特に上院ではグリーン関連予算への批判的意見が強い。このため民主党とバイデン政権はお題目として「グリーン、脱化石燃料」を掲げながら、実際には何もできない状況となっている。

連邦政府とは別に州は自治権が強い。州単位では脱化石燃料に積極的なところもある。その筆頭がカリフォルニア州だった。だが、カリフォルニア州にしても財政悪化が大きな問題となっており、すでに支出に障害が出始めている。

そうした状況ではグリーン関連予算の執行は不可能に近い。またエネルギー高騰への国民の反発も強いため、シェールガスやシェールオイルへの批判はできない。

これは米国だけでなく世界共通の悩みとなっていて、コロナからの回復とウクライナ戦争によってエネルギー不足と価格の高騰が大きな社会問題になってきた。そのためヨーロッパでも脱石炭の見直しが進んでいる。

また共和党が支配する下院では、機密文書問題やハンター・バイデン問題を取り上げる方針だ。それで政権のレームダック化がさらに進む恐れがある。

バイデンも機密文書問題でトランプをつぶそうとした。機密文書かどうかを決めるのは文書発行時の大統領である。だから大統領だったトランプが機密文書ではないと決めれば、機密文書にならない。対してバイデンの場合、副大統領時代やそれ以前の文書なので、秘密文書かどうかを決めるのはオバマである。とすれば、オバマに生殺与奪権を握られていることになる。それを共和党は批判するだろう。

そうした中で、バイデンの副大統領時代から事務を取り仕切ってきた大統領首席補佐官が辞任することになった。その理由は激務が続いているということだ。しかし大統領を見切った可能性も高い。お飾りの大統領と言われてきたのに、神輿《みこし》の担ぎ手も逃げ始めているのである。

しかしウクライナ戦争などを抱える現在、このような状況は望ましくない。副大統領のカマラ・ハリスではバイデンの代わりは務まらないし、民主党では次の大統領候補となる有力議員も見えない状況だ。共和党側もトランプ再選を望む勢力と敵が少ないフロリダ州知事のロン・デサンティスに期待をする勢力に二分されている。

残り2年を切った大統領選挙に向けて債務上限問題もひとつの大きな政局材料になってきた。これ以上のレームダック化を避けたいバイデンと民主党主流派は続投することを望んでいる。それでも目下、本人は健康問題を抱えてスキャンダルも報じられている。現実問題としては続投は難しいだろう。

第6章

これから日本の産業と経済

日本の半導体産業の育成

ＴＳＭＣも日本企業との連携を深めていかないと取り残される

台湾のＴＳＭＣが熊本に新しい工場を建てることを決めたのは２０２１年11月だった。目下、約１兆円を投入する工場の建設が順調に進んでいる。製品の初出荷は２０２４年12月の予定だ。日本政府もこの工場に最大４７６０億円を助成する。

半導体は、開発・設計の工場を持たないファブレスと受託生産の工場のファウンドリによって製品化される。メインプロセッサの設計会社や設計支援ソフト会社が開発・設計を行い、ＴＳＭＣのようなファウンドリが製造を担う。工場に置かれる半導体の製造装置は日米欧でほぼ独占している。

具体的に言うと、例えばスマホはＳｏＣと呼ばれるメインプロセッサとグラフィックや通信などを一体化した半導体で動いている。アームという会社はそのメインプロセッサの設計図をライセンスとして売り、スマホメーカーが必要な機能を付けてＴＳＭＣなどに生産を委託するのである。

ＴＳＭＣが熊本に進出してきた理由のひとつには、やはり光半導体技術を手がけたいからだ。そのためには日本企業との連携を深めていかなければ取り残されてしまうという危機感を持っていた。ＮＴＴが光半導体という新しい半導体技術の開発に成功しているのである。

また、ＴＳＭＣは米国のアリゾナ州でも巨額を投じて新しい工場を建設する。そこに米国のインテルなど主要なメーカーも参加する。

光半導体と量子コンピューターの2分野では日本が先頭を走っており、その中核的な製造技術を持っている。ただしソフトウエアや国際マーケットを視野に入れると、日本は米国に太刀打ちできず、半導体製造のノウハウでもＴＳＭＣにかなわない。

しかし半導体の最新技術をうまく組み合せると世界を主導できる。まさにそのための半導体工場が西側の日米に戻ってくるのだ。だから熊本とアリゾナ州での工場建設は半導体同盟であるチップ4の根幹となる計画としても動いている。

ＴＳＭＣの工場においても導入している機械、設備、材料では日本製への依存が非常に高い。日本の技術なしには半導体をつくれないということだ。半導体の基盤となるシリコンウエハーでは日本のＳＵＭＣＯと信越化学工業の２社だけで世界の６割以上のシェアを握っている。しかも高品質なものに限ると、この２社のほぼ独占状態である。

日本が得意にしている物は他にもたくさんある。汎用性が高い物だと特殊ネジや精密ネジ。これらがないとスマホは組み立てられない。高精度のネジとなるとやはりほとんどが日本製だ。

あるいは、食品メーカーである味の素はＡＢＦフィルムという絶縁の積層フィルムをつくっている。今の半導体は積層されているため、このフィルムがないと積層できないので、高性能半導体でのシェアは１００％である。中国への輸出が禁止されると中国の半導体工場は止まってしまう。

現在、政府は経済安全保障の一環としてオンリージャパンの技術の保護に向けてメーカーや製品のリストづくりを進めている。それらは保護と規制の対象として指定されるだろう。すでに対象となる分野については公表済みだ。

ただし中国も切り札を持っている。例えばフッ化水素の原料の蛍石《ほたるいし》は６割以上が中国原産で、レアアースなどの生産比率も高い。しかしそれは中国産が安いからであって、中国以外でも取れないわけではないので、代替供給先の開発を進めることはできる。

ＴＳＭＣについては熊本に次ぐ第2の拠点を大阪に設けると報じられた。それは電気料金が安いからだ。九州電力と関西電力は原発が稼働しているので、電気料金の値上げをあまりしないで済むのである。

半導体の生産には大量の電気が必要なので、電気が安価なところでしか工場をつくれない。それを理解しないで原発再開反対と言っている人々は日本の発展を明らかに阻害し、日本人に負担をかけているのである。半導体のシリコンウエハーのいちばんの問題も生産に電気をものすごく使うことである。

2025年に2ナノ半導体の量産を目指すラピダスが発足

日本に半導体のファウンドリをつくることには製品までのリードタイムを短縮でき、メーカーとの連動性を高められるメリットがある。それに伴って周辺に多くの関連工場もできる。単にファウンドリだけの話では終わらないのだ。先端の製品だから、経済安全保障上も重要である。

ファウンドリの工場に導入されている各機械は、そのメーカーの社員がメインテナンスをするケースがほとんどなので、機械の中身はブラックボックス化されてライセンスが守られている。だからメインテナンスの社員も工場に常駐するケースが多い。

日本のファウンドリのルネサスの場合、東日本大震災で最新工場だった那珂《なか》工場が被災してしまった。さらに他の工場も老朽化や電力や資金問題などのために閉鎖を余儀なくされた。それで最新世代への投資が止まってしまったばかりか、ルネサスの関連メーカーもTSMCやサムスンなど他のファウンドリとの関係を強化していった。

ルネサスの落ち込みにより、日本のファウンドリのライセンスを維持できないようになり、関連メーカーも他国のファウンドリに吸い寄せられていった。日の丸半導体の復活というのは、それらを日本に取り戻すことにほかならない。

2022年11月には次世代半導体の国産プロジェクトが動き出すことになった。ファウンドリの「ラピダス（Rapidus）」である。2027年に次世代半導体を量産できるようになるのがひとつの目標だ。トヨタ自動車、NTT、ソニー、NEC、ソフトバンク、デンソー、キオクシア、三菱UFJ銀行の8社が合計73億円を出資し、政府も700億円の補助金を出す。10年間で5兆円を設備投資などに充てる計画である。

ラピダスの社長には直近まで米国のウエスタンデジタル日本法人の社長を務めていた小池淳義氏、会長には東京エレクトロン前社長の東哲郎氏がそれぞれ就いた。いずれも半導体業界で40年以上活躍してきた経営者だけに期待も大きい。

生産する次世代半導体は自動車の自動運転やＡＩの頭脳となる。半導体は回路線幅が小さいほど高性能になるので、ラピダスは２０２７年に２ナノの製品の国産化を目指す。ＴＳＭＣとサムスンは３ナノの製品の量産技術をすでに確立し、２０２５年には２ナノの製品も量産できるようにする計画である。両社にできるだけ早く追い付けるようにしなければならない。

ラピダスは12月13日に米国のＩＢＭと提携することを発表した。ＩＢＭは２０１５年に半導体製造から撤退した。しかし研究開発は続けていて、２ナノの製品の試作に成功している。ラピダスとしては、その技術の提供を受けて2ナノの量産技術の確立に結び付けたいと考えている。

光半導体を開発したＮＴＴが主導する次世代通信基盤のＩＯＷＮ

通信は自動運転やＡＩなどの要だ。しかし高速かつ低消費電力の通信チップでないと、それらは進歩しない。だからトヨタやＮＴＴなどが参加するラピダスの自動運転とＡＩも通信が中核になる。ただしラピダスは派生する部分であって、コアにはＩＯＷＮ構想がある。

光半導体の開発に成功したＮＴＴが主導する次世代通信基盤のＩＯＷＮは、機器や半導体の内部のデータのやり取りを光で完結させ、高速化と低電力化の飛躍的な進歩を目指すものだ。つまり光技術を駆使して、大容量で高品質、低消費電力、低遅延といった情報処理・通信基盤技術を提供する。

現在、５Ｇが使われるようになって6Ｇの開発も進んでいる。２０２５年までに５・５Ｇという中間の規格の開発を進めている最中で、６Ｇは5Ｇの１００倍以上の速度になる。インテル、ＮＴＴ、ソニーが設立メンバーを担い、スポンサー企業にはアクセンチュア、中華電信、シエナ、シスコ、デル、デルタ、エリクソン、富士通、古河電工、ヒューレット・パッカード、キオクシア、マイクロソフト、三菱電機、みずほＦＧ、三菱ＵＦＪ銀行、ＮＥＣ、情報通信研究機構、ノキア、オラクル、オレンジ、ＰｗＣ、レッドハット、サムスン、住友電気工業、トヨタ、ＶＭｗａｒｅ、緯創資通という27社が名を連ねている。そのほか一般メンバー企業が54社ある。

ＩＯＷＮの第1弾は２０２３年から開始される商用サービスだ。６Ｇ時代を見据えてデータセンターのサーバーやスマホ内部の電気信号を可能な限り、光信号に変えようとする取り組みである。

ＩＯＷＮにはセキュリティも包括されている。それはサイバー防御にもつながっていくので、国家安全保障戦略としてサイバー防御を行う方向性も出てきている。だが、それは日本企業だけでは無理であり、外国企業の協力も不可欠だ。例えばパソコンのＯＳではマイクロソフトなど外国のソフトを使っているため、ＯＳレベルの脆弱性に対応できるようなソフトウェア会社は日本にはない。それでＩＯＷＮには米国のアクセンチュアやシスコなどセキュリティ企業が参加している。

サイバー防御については、「日本国憲法21条の通信の秘密に反する」と主張する新聞もある。だが、通信の秘密と通信の漏洩は裏腹の話だ。通信の秘密を犯してはならないからこそ、犯されないために防御をしなければならない。

デフレ脱却と日本の景気の動向

デフレからの脱却を失われた30年脱却の絶好のチャンスに

我が国はここ30年間、デフレに苦しんだ。失われた30年とも言われる。GDPは政府と民間と純輸出の合算だ。この統計には日本企業が海外で生産した数字は含まれない。つまり日本企業の海外生産は、海外のGDPを引き上げて、日本でつくられる商品の価格を引き下げた。それは海外製品と日本製品の競争の結果でもある。消費者の多くは日本企業の製品なら原産地を気にしない。それが国内景気悪化とデフレの最大の要因でもあった。日本が最も豊かだった1980年代後半には国内に中国製品がなかったのだ。

1991年には冷戦が終結し、グローバル化の波が日本を襲うようになった。日本の産業界では安定していた護送船団が崩れて、低賃金でつくられる安価な商品が国内にあふれた。バランスシート不況とデフレスパイラルに陥って経済発展が抑制され続け、阪神淡路大震災や東日本大震災などの災害がそれをさらに悪化させていった。

一方、改革開放に踏み切った中国は民主化と自由化を進めると約束して西側マーケットに参入した。西側各国はそれを信じて投資し、中国を発展させていった。だが経済力を付けた中国は約束を反故にして、今やむしろ先祖返りしている。中国からは資本の持ち出しもできないため、外国企業も中国で儲けたお金を再投資するしかない。これでは吸い取られ続けるだけである。

中国の先祖返りは、米国など西側諸国を刺激して大きな対立を生み出している。その結果が対中規制強化の動きであり、ウクライナ戦争によってそれが一段と進んだ。フィンランドやラトビアなどロシア周辺国との陸路での移動には制限がかかった。

こうして再び東西の間に壁ができたのである。確かにこれには苦しみやリスクはある。だが、２０２２年はコストプッシュインフレという望まぬ形ではあったものの、日本はデフレから脱却をすることになった。これを失われた30年脱却の絶好のチャンスにしなくてはいけない。

今後、国内で先端の半導体が手に入るようになれば生産拡大も大いに期待できる。さらに十分な電力の確保、および電気料金の引き下げという条件が加われば、日本の製造業にとっては強い追い風となる。

電力不足に関しては原発を再開し、日本の低環境負荷、高効率の石炭タービンを積極的に設置して輸出するべきだ。世界の旧型の発電所を新型タービンに切り替えるだけで日本一国分の二酸化炭素が削減できる。

自動化イコール電力なのだから、電力不足は日本への生産回帰を阻害してきた。産業用電力料金の高さも大きな問題だ。米国の3倍、中国や韓国の2倍という料金では競争力はとても保てない。

しかし、この環境は大きく変わってきた。中国や韓国の電気代が安いのはスポットによる安価な天然ガスを調達できたからである。今やスポットガス料金の高騰によって韓国電力は経営破綻の危機にある。燃料ベースで考えれば日本のほうが電気料金は安くなり得る。安価な電力を十分に確保できれば、国内に製造業を回帰させられる。GDPを増やすには日本国内に生産を戻すのがいちばんである。

世界的なデカップリングも日本経済の発展を後押しする。中国に対する世界的な半導体規制は先端技術の日本回帰を呼び込む。生活物資などの中国抜きのサプライチェーンの再構築も日本には好都合となる。

アジアで中国に対峙できるのは日本しかない。日本からGDPを奪い続けた中国との関係を見直すことは日本にとってチャンスだ。各国との同盟関係強化やアジアでの指導的役割の自覚も必要である。

日本経済が相対的に浮上する中でリスク時の円高が起こり得る

米国との金利差拡大により２０２２年10月には大きく下げた円も、米国の利上げ速度減退および世界的リセッション（景気後退局面）の予測により反転してきている。

目下、さらに大きなリスク要因も確認されている。それは監督下にある銀行など金融セクター以外の隠れ債務、すなわち年金などのノンバンクのデリバティブ負債である。加えて新興国のデフォルトも懸念されている。

そうした中で「リスクが高まると円が買われる」という動きが再燃する可能性が高い。リーマンショックでもリスクの高まりで円が買われる動きが発生した。その後、今回の円安まで同様の動きが続いた。これは円が安全資産とされているからで、通貨の価値の裏付けになっている日本の国富（国と民間の持つ資産）が大きく、かつ対外純資産が大きいことに起因する。

また、世界的なインフレとリセッションの中で日本のインフレ水準は低く抑えられている。円安効果とデフレで鍛えられたがゆえにリセッションが起きる恐れは低い。それも円が買われる大きな要因となる。

さまざまな要素が複雑に絡み合うとしても、当面の予想では米国の緩やかなリセッション、ヨーロッパの厳しいリセッション、中国も厳しいリセッションを迎える中、日本経済はよくなったわけではないものの、相対的に浮かび上がる形になるだろう。

円高が進行すると日本に対するテーパリングの圧力も低下し、量的緩和継続の余地も生まれやすくなる。

47人のアナリストの誰にも予想外だった日銀のサプライズ

日本銀行は２０２２年12月20日の金融政策決定会合で長期金利の上限を０・25％程度から０・50％程度に引き上げた。これは２０１３年から始めた大規模緩和の事実上の縮小である。

だが、黒田東彦総裁の在任期間中は行われないであろうと見られていた。突然の政策変更を47人のアナリストの誰もが予想していなかったため、マーケットに激震が走った。米国のウォールストリートでは多くのトレーダーがクリスマス休暇に入っており、ユダヤ教のクリスマスといわれるハヌカの18〜26日ともかぶっていた。そのため年間で最も市場参加者が少ない中で日銀のサプライズが起こったことになる。

このところの金利水準は天井に張り付く形で動いており、米国の利上げが続く中で円安も進み、指値オペの天井は利付きの不成立が発生していた。だが、米国の利上げ速度の低下と世界的なリセッション予測から、円も150円台から135円台へと転換して、市場の逼迫は緩和されていたのだった。そのため利上げ圧力は低下していて、当面は現状維持を継続するというのがほぼすべての市場関係者の予測だった。

そこに日銀は、長期金利の変動容認幅を0・25％から0・50％に引き上げるという今回の決定を行い、政策転換を図ったのだった。確かにいずれは出口を見出す必要はあった。ただしそれはもっと先になると見られていたのである。

黒田総裁はこれまで、黒田バズーカと呼ばれる大規模量的緩和を行って市場に大きな衝撃を与えてきた。その意味では今回の決定は自らの任期中に金融政策を転換するという宣言でもあったのだ。

とはいえ日銀としては、大きな政策転換ではなく、市場の逼迫は収まっていて、0・50％に近づく可能性は低く、単純に金利の自由度を高めるためのものだと説明している。

しかし今回の実質利上げは国際的な市場にも大きな影響を与える。低利の円を調達し、高利回りの商品に投資するという円キャリーの巻き戻し要因になるからだ。日銀は利上げではないという立場である。しかし変動幅が大きくなったことで金利が上がる可能性があって、キャリーが難しくなったとも言える。

金融ビッグバンによって円は国際通貨の一部であり、調達通貨の一部ともなっている。円の金利が上がれば調達金利が上がり、逆ザヤになる商品も出てくる。それでドルやユーロの金利が上がる中で低金利での調達手段が減ることにもなる。

今回の決定は上昇を続けてきた企業物価と消費者物価にはプラスだ。為替の転換により輸入物価とエネルギー価格が抑えられるからである。消費者物価は、企業物価に遅れて反応する。企業物価は9％台の上昇を続けてきており、今は消費者物価に反映されていないだけである。

一方、為替の変動により企業物価がピークアウトする可能性が高い半面、インフレ圧力の低下は期待できる。その点では物価の安定を唯一の政策理念とする日銀の方針と合致するものとなるだろう。

横並び文化の日本で値上げを社会が容認するようになった

米国のＦＲＢ（連邦準備制度理事会）の政策目標は、物価の安定と雇用の最大化である。２０２３年に入って物価はピークを打ったという見方が強い。雇用環境は一気に悪化傾向を示している。コロナの巣ごもり需要で潤ったＩＴ関連での大規模なリストラが連日報道されており、雇用統計も悪化傾向が進むと見られている。このためＦＲＢは利上げ速度を落とす、または利上げを停止する可能性が高いと見られている。同時に２０２３年中の政策転換（利上げから利下げ）も想定され始めている。

米国の雇用環境は流動性が高い。すなわち簡単に解雇できる仕組みになっている。賃金に関しても同様であるため、変動幅が大きい。労働者の権利が強い日本とは大きく異なる。いわば労働も一種の商品であり、非常に速く統計が動く。対して日本の賃金等の大きな変化は春闘によるベースアップが中心で、年単位で賃金が大きく変化する。また、公的年金等も物価と賃金の平均を反映するため、所得の変化が遅く、賃金や物価の上昇後追いする仕組みになっている。

このため日本は、先に物価上昇の痛みが出ると言っていい。これもデフレの要因だ。デフレでは先に消費者が物価下落の恩恵を受けることができるが、それは流通業者や生産者の負担となり、利益や賃金等にはね返る。流通業者は卸売を叩き、卸売は生産者を叩く結果、景気が悪化するのである。

日本を苦しめたもうひとつの要素として100円、1000円の壁がある。デフレ下の日本で大きく発展したのが100円均一商品である。この100円の壁を超えることが難しかった。飲食等においては1000円の壁の存在も大きかった。ランチやラーメンなどの昼の食費も1000円を超えると一気に客が減るという現象である。そこで飲食店は横並びで1000円以内に抑える努力をしてきたのだ。生活必需品なども同様である。

しかし、ここにきて各企業が値上げをして、この壁を壊し始めた。よくも悪くも横並び文化なので値上げを社会が容認するようになったのである。社会全体として見ればデフレ脱却の大きな原動力であり、社会変化の前提となる。

ただし低所得者層には大きな負担だから手当する必要もあるだろう。ここで混同してはいけないのが経済政策と福祉政策はまったく別のものだということである。一律のバラマキは混同事例で、政治家の選挙対策になっても将来の国民の負担は大きくなるだけだ。

業種業態によるが、日本全体としては企業の業績は改善されており、賃金引き上げの余力は大きい。初任給なども大きく引き上げる企業が出てきている。これも低賃金の若年層にとってはプラスだ。デフレ下ではコストカットが経営者の手腕とされてきた。それは企業の将来の成長を奪うものでもあった。

世界的なリセッションは、大きなピンチであると同時に社会の構造改革のチャンスであり、デフレからの転換の原動力にもなる。日本の失われた30年を改革するのは今ということになるだろう。日本はＯＥＣＤ36ヵ国で輸出割合は米国に次いで35位の内需大国だ。輸出がＧＤＰに占める割合は18％しかない。内需が堅調であれば世界的リセッションを乗り切りやすい環境にある。日本が輸出大国であったのは何十年も前の話だ。それが間違った認識を生んでいるといっていい。

[著者プロフィール]
渡邉哲也（わたなべ・てつや）
作家・経済評論家。1969年生まれ。日本大学法学部経営法学科卒業。貿易会社に勤務した後、独立。複数の企業運営などに携わる。大手掲示板での欧米経済、韓国経済などの評論が話題となり、2009年、『本当にヤバイ！ 欧州経済』（彩図社）を出版、欧州危機を警告し大反響を呼んだ。内外の経済・政治情勢のリサーチや分析に定評があり、さまざまな政策立案の支援から、雑誌の企画・監修まで幅広く活動を行っている。著書に『韓国はどこに消えた⁉』『プーチン大恐慌』（以上、ビジネス社）、『経済封鎖される中国 アジアの盟主になる日本』（徳間書店）、『世界と日本経済大予測2022-23』（PHP研究所）、『今だからこそ、知りたい「仮想通貨」の真実』（ワック）など多数。
◎渡邉哲也公式サイト http://www.watanabetetsuya.info
◎人気経済ブログ「渡邉哲也（旧代表戸締役）の妄言」（上記公式サイトにリンクがあります）
◎人気メルマガ「渡邉哲也の今世界で何が起きているのか」https://foomii.com/00049

編集協力／尾崎清朗

習近平の本当の敵は中国人民だった！

2023年3月13日　　第1刷発行

著　者　渡邉　哲也
発行者　唐津　隆
発行所　株式会社ビジネス社
〒162-0805 東京都新宿区矢来町114番地
神楽坂高橋ビル5階
電話 03(5227)1602　FAX 03(5227)1603
https://www.business-sha.co.jp

カバー印刷・本文印刷・製本/半七写真印刷工業株式会社
〈装幀〉大谷昌稔
〈本文DTP〉茂呂田剛（エムアンドケイ）
〈営業担当〉山口健志　〈編集担当〉本田朋子

ISBN978-4-8284-2500-9